WILLIAMS-SONOMA

NUEVOS SABORES PARA
sopas

RECETAS
Adam Ried

FOTOGAFÍA
Kate Sears

TRADUCCIÓN
Laura Cordera L.
Concepción O. de Jourdain

primavera

7 introduciendo
nuevos sabores

8 la frescura como
ingrediente

11 ¡sea atrevido!

12 sabores en capas

17 vichyssoise de poro y espárragos

18 caldo de pescado, hinojo y azafrán con
alioli de limón

23 sopa de alcachofa y quinoa con ajo verde

24 sopa agripicante con pimienta negra y
anís estrella

29 sopa de cebolla caramelizada con crutones
de queso azul

30 sopa de poro y papa yukon dorada con
prosciutto frito

33 sopa de zanahoria y coco con almendras al curry

37 dashi con callo de hacha, berro y tallarines soba

38 caldo de pollo con zanahoria y bolas matzoh a
las hierbas

41 sopa fría de cerezas ácidas con estragón

45 sopa de huevo al limón con habas verdes y
hojuelas de ajo frito

verano

49 menestra de verduras de verano con pasta orzo
y pesto de arúgula

50 sopa de pollo y coco con calabazas de verano
y edamame

55 gazpacho de verduras al carbón

56 straciatella de huevo y queso parmesano con
espinaca miniatura

60 chowder de langosta y elote dulce

63 sopa de jitomate y pan con aceite de
ajo tostado

64 bisque de jitomate amarillo asado con obleas
de queso asiago

69 sopa fría de pepino y yogurt con limón y menta

70 sopa de frijol negro y elote dulce con chile
poblano

73 sopa de berenjena tostada con comino y
yogurt griego

77 sopa de calabacita al ajo con gremolata
de albahaca

otoño

81   sopa de calabaza con pepitas dulces y sazonadas

82   mejillones en caldo de curry amarillo con albahaca tai

86   sopa de carne de res y hongos con cebada perla

89   sopa de pollo y tomate verde con chile chipotle

93   gumbo de camarones sazonados al comino y chorizo

94   sopa de pavo sazonado y arroz jazmín con lemongrass

97   sopa de betabel dorado con crema de queso de cabra al eneldo

101   sopa de lenteja y acelga con jamón serrano y páprika ahumada

102   caldo miso con camarones, tofu y hongos shiitake

105   sopa de castaña y raíz de apio con crutones de salvia y tocino

109   mulligatawny de coliflor

invierno

113   sopa de col rizada y camote asado con salchichas de cordero

114   sopa de frijol pinto con chile jalapeño tostado y ajo

118   sopa de queso cheddar y sidra con chalotes fritos

121   sopa de col napa con puerco, hongos y germinado de soya

125   bisque de chalotes asados y cangrejo con jerez

126   sopa de bok choy miniatura y tallarines y especias

129   sopa de cordero con especias marroquíes y garbanzo

133   sopa de pollo y maíz cacahuazintle con chile ancho

134   guisado de res con ralladura de naranja y aceitunas negras

137   sopa de lenteja con pavo ahumado y miel de balsámico

141   sopa de calabaza butternut con peras asadas y romero

142   temas básicos

148   ingredientes de temporada

150   glosario

156   índice

introduciendo **nuevos sabores**

No se puede negar que las últimas dos décadas han sido excelentes para los cocineros y los fanáticos de la cocina. Durante este tiempo la comida y los sabores del mundo entero han llegado a nuestras puertas. Los sabores de África, de Centro y Sudamérica, Asia y el Medio Oriente se han unido a las influencias francesa e italiana ya familiares en nuestro repertorio de la comida diaria. Hoy en día, las despensas americanas cuentan con el aromático arroz basmati, la variedad más conocida de grano largo, la penetrante salsa asiática de pescado se guarda junto a la mostaza amarilla y el polvo de curry picante justo atrás de la especia para el pay de manzana.

Como si se quisieran mantener las influencias internacionales bajo control, ha surgido el interés por la comunidad junto con nuestro interés de cocinar con ingredientes locales y de temporada. La verdad es que la pasión y orgullo por ocuparse cuidadosamente de frutas, verduras, lácteos y carnes con gusto es una de las razones por las que el movimiento a favor de comprar productos locales se ha vuelto tan importante. No todos tenemos un huerto de árboles frutales o una cremería cerca de la casa pero, afortunadamente, la mayoría de nosotros tenemos acceso a las frutas y verduras frescas y a los productos lácteos de granja en los mercados y supermercados cercanos, y algunas veces a través de los programas de agricultura organizados por las comunidades.

Las cuarenta y cuatro recetas para sopa y guisados de este libro nos brindan esfuerzos globales y locales para llevarlas directamente a la olla de la sopa. Organizadas por temporada, las recetas en cada uno de los cuatro capítulos se enfocan en las mejores frutas y verduras del momento, desde las primeras alcachofas de hojas apretadas de la primavera hasta las verduras de hojas verdes del invierno, y las convierte en platillos que satisfacen nuestros antojos de temporada. Los días templados requieren de sopas frías con sabores brillantes; el frío intenso requiere de estofados lentos y ricos. En estas páginas nuestros queridos estándares de siempre adquieren acentos internacionales. En cada cucharada encontramos sabores familiares que reconfortan y sabores fascinantes que tienen un delicioso sabor innovador.

la frescura como ingrediente

Si tiene la fortuna de tener un huerto de verduras (o algún vecino amable que lo tenga), arranque de la vaina un jitomate maduro entibiado por el sol del verano. Límpielo y dele una mordida y trate de comparar ese sabor afrutado y agridulce con el sabor que tienen las esferas duras llamadas jitomates en el supermercado en el mes de Enero. Simplemente no hay comparación.

local La diferencia entre las frutas y verduras cosechadas en un condado cercano y las variedades que cruzan las fronteras internacionales para llegar al mercado es dramática, para acabar pronto. La distancia significa tiempo y el tiempo es un enemigo del sabor. En los mercados cercanos de los granjeros o en los puestos que hay en la calle, las frutas y verduras probablemente crecieron a muy pocos kilómetros y se recogieron unas horas antes. Los granjeros locales y los productores invierten su conocimiento, experiencia y corazón en sus productos. Esta atención tiene un sabor que se puede saborear y que le da a un platillo una vertiginosa ventaja de grandeza.

de temporada Volviendo al "jitomate" de Enero, los jitomates son frutas del verano, que deben alcanzar su punto de dulzura y sabor después de varios días en el sol caliente. El verano, y no el invierno, es el momento para satisfacer su apetito. Cada estación tiene gloriosos ingredientes para hacer una sopa, desde el ajo verde para una sopa de alcachofa en la primavera hasta la col rizada cultivada después de una helada para una sopa de invierno con camotes y salchicha. Al cocinar con verduras en su punto proporciona a su mesa un delicioso ritmo de temporada y a sus comensales les permite apreciar el tiempo y el lugar.

orgánico Los pesticidas y los conservadores pueden alargar la vida de las frutas y verduras en los estantes, pero no le hacen ningún favor a nuestro paladar, a nuestra salud ni a la salud de la tierra en la que crecen. Si usted tiene la opción, elija frutas y verduras orgánicas y carne libre de esos químicos. Al comprar productos orgánicos, obtendrá ingredientes mínimamente procesados que tienen el sabor que la naturaleza deseó.

¡sea atrevido!

Al usar los ingredientes de la mejor calidad y con más sabor, cada receta de este libro nos brinda una atrevida expresión a la mesa. Las técnicas de cocimiento descubren o crean sabores en cada momento, mientras que la mezcla inesperada de ingredientes produce nuevos sabores frescos.

ingredientes globales
Hoy en día, el anís estrella y la páprika ahumada española tienen un lugar especial en el estante de las especias junto a las más conocidas como son la canela y la nuez moscada. Que deliciosa fortuna: Tenemos un mundo entero de ingredientes para explorar, desde el miso japonés hasta los chiles mexicanos o el queso cheddar inglés. Con estos ingredientes a nuestra mano, los ingredientes ya conocidos adquieren una nueva identidad: la sopa casera de pavo adquiere sabor del aromático arroz jazmín; la sopa de zanahoria se enriquece con la sedosa leche de coco; y la sopa de lenteja obtiene un sabor a carne al añadirle jamón serrano.

sabrosos métodos de cocimiento
Las recetas extraen todas los gramos de sabor de cada ingrediente, por ejemplo: las cáscaras que quedan al pelar los camarones para hacer gumbo y las mazorcas de elote que quedan después de retirarles todos los granos para preparar un chowder. Dorar cebollas, chamuscar verduras en el asador y freír puré de tomate verde, son técnicas de cocimiento que crean una sabrosa base para hacer sopas con un sabor profundo y resonante.

combinaciones inesperadas
Aun con una despensa de nuevos sabores, no descarte la posibilidad de combinar los elementos de todos los días en una manera inesperada y audaz. El jengibre fresco y la canela acentúan la riqueza de la carne en una sopa de tallarines en caldo de res con bok choy miniatura. El pesto es una salsa de verano para los amantes de la pasta, pero al reemplazar la ya conocida y auténtica albahaca por arúgula apimentada y usar la salsa para aderezar una menestra de verduras con orzo nos ayuda a ver a esta sopa, y a la salsa de pesto, con una visión nueva.

sabores en capas

Un sabor puede saber bien por sí solo pero si trata de combinarlo con sabores contrastantes o complementarios, logrará crear complejidad en el platillo que halagará los paladares de los comensales en cada bocado. Para hacerlo aún más interesante, mezcle diferentes texturas para añadir una gran dimensión a cualquier sopa.

creando complejidad Las recetas para sopas que aquí se presentan crean capas de sabor al balancear finamente sabores dulces, salados, agrios, picantes y algunas veces incluso amargos. La sopa de cebolla caramelizada, por ejemplo, es dulce debido a los azúcares naturales de la cebolla pero la dulzura se cimienta en el sabor de los caldos de res y de pollo y lo penetrante de los crutones de queso azul. El vermouth seco y las hierbas frescas juntan los sabores y liman cualquier aspereza.

la importancia de la textura Una sopa sería desmesuradamente aburrida si estuviera uniformemente suave o tuviera trozos de una sola consistencia. La textura es un elemento importante que muchas veces pasa desapercibido. Ya sea que las texturas se complementen una a la otra como las papas amantequilladas y los poros suaves en una sopa rústica de poro y papa, o se contrasten como las obleas crujientes de queso con una sedosa bisque de jitomate, una mezcla atractiva evidentemente estimula el paladar para aportar un tazón de sopa mucho más interesante.

Estamos de suerte. La selección de ingredientes globales que han empezado a estar disponibles para nosotros es justo lo que necesitamos para darle vitalidad a las sopas tradicionales. Las recetas en este libro usan todas las herramientas que tenemos a nuestra disposición para darle a cada plato de sopa un repentino aumento de sabor y textura. Recuerde estas recetas la próxima vez que visite un mercado local o que camine por el pasillo internacional del supermercado: Usted estará en el umbral de grandiosos nuevos sabores para preparar todas sus sopas favoritas.

primavera

vichyssoise de poro y espárragos

poros, 5 (aproximadamente 1 kg/2 ½ lb en total)

mantequilla sin sal, 2 cucharadas

aceite de canola, 2 cucharadas

tomillo fresco, 1 cucharadita, finamente picado

caldo de pollo (página 142) o consomé de pollo bajo en sodio, 5 tazas

papa russet, 1 pequeña, sin piel y toscamente picada

espárragos, 1 kg (2 lb)

hojas de espinaca miniatura, 1 taza compacta

media crema, 1 taza, más 3 cucharadas para decorar

sal kosher y pimienta recién molida

RINDE DE 6 A 8 PORCIONES

Usando un cuchillo para chef corte y deseche la parte superior de los poros de color verde oscuro. Corte los poros longitudinalmente a la mitad y después corte cada mitad transversalmente en trozos de ½ cm (¼ in) de grueso. Enjuague perfectamente y escurra.

En una olla de hierro fundido grande o una olla gruesa con tapa sobre fuego medio-alto derrita una cucharada de la mantequilla con una cucharada del aceite. Reserve una taza del poro y añada el resto a la olla junto con el tomillo. Reduzca el fuego a bajo, tape y cocine cerca de 10 minutos, moviendo ocasionalmente, hasta que el poro se suavice. Agregue el caldo y la papa, suba el fuego a medio-alto, tape y lleve a ebullición. Cuando suelte el hervor, reduzca el fuego a medio-bajo y deje hervir lentamente cerca de 10 minutos, hasta que la papa esté suave.

Mientras tanto, rompa y deseche el extremo duro de la base de los espárragos y pique los tallos toscamente. Cuando la papa esté suave, agregue los espárragos a la olla, tape y cocine cerca de 3 minutos, hasta que los espárragos estén de color verde brillante y ligeramente suaves. Incorpore la espinaca y cocine cerca de 45 segundos, sólo hasta marchitar.

Trabajando en tandas, pase la mezcla a una licuadora y muela hasta obtener un puré. Vierta el puré hacia un tazón. Añada la taza de media crema, una cucharadita de sal y pimienta al gusto; mezcle hasta integrar. Deje enfriar a temperatura ambiente. Tape y refrigere por lo menos durante 4 horas o hasta por 12 horas, hasta que esté bien frío.

Cuando quiera servir, derrita en una sartén sobre fuego medio la cucharada restante de mantequilla con la cucharada restante de aceite. Añada la taza reservada de poro y ¼ cucharadita de sal y saltee cerca de 8 minutos, hasta que el poro esté crujiente. Pase a un plato cubierto con toallas de papel para escurrir.

Pruebe la sopa y rectifique la sazón. Usando un cucharón pase a tazones fríos, rocíe con las 3 cucharadas de media crema, dividiéndola uniformemente, decore con el poro frito y sirva de inmediato.

Los poros tienen un sabor más suave, natural y de alguna forma más substancial que su pariente cercano la cebolla. En esta receta los poros se combinan con el sabor herbáceo de los espárragos frescos y el leve acento mineral de las espinacas miniatura para crear esta ejemplar sopa primaveral. Por lo general la vichyssoise se sirve fría, pero si lo prefiere también puede servirla caliente.

caldo de pescado, hinojo y azafrán con alioli de limón

Los pistilos del azafrán infunden a esta interpretación de la bouillabaisse provenzal con su sabor distintivo y ligeramente floral así como con un matiz dorado. El pernod, un licor con sabor a anís, acentúa la dulzura y el sabor similar al orozuz del hinojo fresco en este caldo. Los panes tostados cubiertos con alioli son perfectos para remojarse en este aromático guiso.

Precaliente el horno a 220°C (425°F). Corte el pan diagonalmente en 16 rebanadas de 2 ½ cm (1 in) de grueso. Barnice la parte superior de las rebanadas con ¼ taza del aceite. Acomódelas, con la parte aceitada hacia arriba, sobre una charola para hornear y tueste en el horno cerca de 7 minutos, hasta que se doren. Machaque ligeramente un diente de ajo y frote sobre cada pan tostado. Reserve los panes.

Prepare 2 cucharaditas de ralladura fina de una naranja y exprima ¾ taza de jugo de ambas naranjas. Pique finamente los 6 dientes restantes de ajo. Corte el pescado en trozos de 5 cm (2 in) y sazone ligeramente con sal y pimienta.

En una olla de hierro fundido grande o una olla gruesa con tapa sobre fuego medio, caliente ¼ taza del aceite de oliva. Agregue la cebolla y el hinojo y saltee cerca de 4 minutos, hasta que las verduras estén ligeramente suaves. Añada la mitad del ajo picado, el tomillo, azafrán y la ralladura de naranja; cocine cerca de 1 minuto, moviendo continuamente, hasta que aromatice. Suba el fuego a alto. Añada el jugo de naranja, vermouth, caldo de pescado y los jitomates con su jugo y lleve a ebullición. Hierva sin tapar alrededor de 3 minutos para que se mezclen los sabores. Reduzca el fuego a medio y agregue las 2 cucharadas restantes de aceite de oliva, el ajo picado restante, el pernod y 2 cucharaditas de sal; mezcle hasta integrar por completo.

Coloque los trozos de pescado en la olla y empuje ligeramente hacia abajo con ayuda de una cuchara para sumergirlos en el líquido. Tape y cocine cerca de 10 minutos, hasta que el pescado esté completamente opaco.

Mientras tanto, cubra cada pan tostado con una cucharada rasa de alioli de limón. Pruebe la sopa y rectifique la sazón. Añada las frondas de hinojo y mezcle con cuidado. Usando un cucharón pase la sopa a tazones precalentados, decore cada porción con 2 panes tostados cubiertos con alioli y sirva de inmediato.

pan baguette, 1

aceite de oliva, ½ taza más 2 cucharadas

ajo, 7 dientes

naranjas, 2

filetes de rape o mahi-mahi, 1 ½ kg (3 lb)

sal kosher y pimienta recién molida

cebolla amarilla, 1, picada en cubos de 1 cm (½ in)

bulbos de hinojo, 2, descorazonados y picados en cubos de 1 cm (½ in), más ⅓ taza de frondas picadas

tomillo fresco, 1 ½ cucharadita, finamente picado

pistilos de azafrán, ½ cucharadita, amortajados

vermouth seco, ¾ taza

caldo de pescado (página 142), 5 tazas

jitomates en cubos, 1 lata de 400 g (14 ½ oz)

pernod, ½ taza

alioli de limón (página 144)

RINDE 8 PORCIONES

El ajo verde es un regalo de la primavera que nos ofrece un sabor de ajo completo pero más suave que el ajo normal. Las alcachofas mantequilla cocidas al vapor son el perfecto trasfondo del ajo verde con sabor suave en la sopa, la cual rinde un delicioso tributo a la estación.

sopa de alcachofa y quinoa con ajo verde

limón, ½

alcachofas globo, 12

mantequilla sin sal, 2 cucharadas

cebolla amarilla, 1, en cubos pequeños

ajo verde, 4, las bases blancas y de color verde pálido finamente picadas y las partes superiores suaves de color verde finamente rebanadas

tomillo fresco, ½ cucharadita, finamente picado

caldo de pollo (página 142) o consomé de pollo bajo en sodio, 6 tazas

quinoa, ¾ taza, cocida (página 145)

sal kosher y pimienta recién molida

aceite de oliva, para acompañar

RINDE DE 6 A 8 PORCIONES

Llene un tazón muy grande con tres cuartas partes de agua y exprima el jugo del medio limón. Trabajando con una alcachofa a la vez y usando un cuchillo para chef, corte 5 ó 7 cm (2–3 in) de la parte superior y retire el tallo. Rompa y deseche 2 ó 3 filas de las hojas exteriores. Utilizando tijeras de cocina retire las hojas estropeadas y sumerja las alcachofas en el agua con limón.

En una olla muy grande adaptada con una canastilla para cocinar al vapor sobre fuego medio-alto coloque entre 5 y 7 cm (2-3 in) de agua y hierva. Retire las alcachofas del agua con limón y agregue a la vaporera, tape y cocine de 35 a 40 minutos, hasta que las bases se sientan suaves al picarlas con la punta de un cuchillo mondador.

Utilizando unas pinzas coloque las alcachofas boca abajo sobre toallas de papel y deje escurrir. Cuando estén los suficientemente frías para poder tocarlas, jale las hojas de cada alcachofa (reserve para otro uso) y utilice una cuchara para retirar las hebras correosas del corazón. Por último, pique en trozos 10 corazones y reserve. Rebane finamente los 2 corazones restantes y reserve por separado.

En una sartén grande sobre fuego medio derrita la mantequilla. Agregue la cebolla y saltee cerca de 5 minutos, hasta suavizar. Añada las bases de los ajos verdes y cocine de 3 a 4 minutos, hasta que aromaticen. Agregue el tomillo, caldo y los corazones de alcachofa picados, suba el fuego a alto y lleve a ebullición. Cuando suelte el hervor reduzca el fuego a bajo, tape y deje hervir a fuego lento cerca de 10 minutos para mezclar los sabores.

Pase la mitad de la mezcla a una licuadora y muela hasta obtener un puré terso. Regrese el puré a la olla. Añada la quinoa cocida, 1 ½ cucharadita de sal y pimienta al gusto; coloque sobre fuego medio-bajo. Cocine con cuidado cerca de 10 minutos, moviendo ocasionalmente, hasta que se haya calentado por completo.

Pruebe la sopa y rectifique la sazón. Usando un cucharón pase a tazones precalentados y decore con las rebanadas de corazón de alcachofa. Rocíe cada porción con aceite de oliva, espolvoree con pimienta y las partes superiores de los ajos verdes y sirva de inmediato.

El sabor del ajo verde es suave como los dientes de ajo asado pero tiene un sabor más fresco y vibrante muy parecido al de las cebollitas de cambray. Se presenta como un acento primaveral de sabor en esta sopa natural que combina el sabor anuezado de la nutritiva quinoa con el sabor dulce y delicado de las alcachofas frescas.

sopa agripicante con pimienta negra y anís estrella

El sabor "picante" de esta sopa no viene de chiles sino de la generosa cantidad de granos de pimienta recién molidos. Además del sabor picante, la pimienta ofrece una amplia serie de matices de sabor, desde el sabor ahumado de las maderas hasta un toque afrutado. El anís estrella con sus destellos cálidos de especia con toques de orozuz, combina a la perfección. El vinagre negro chino con un ligero sabor a malta añade un elemento ácido a este platillo de sabores y texturas contrastantes.

En un tazón coloque una taza de agua caliente y remoje los hongos cerca de 30 minutos, hasta que se suavicen. Retire los hongos, corte y deseche los tallos y rebane finamente los botones. Vierta el líquido de remojo a través de un colador de malla fina forrado con un trozo de manta de cielo húmedo. Reserve los hongos y su líquido.

Pique las chuletas en tiras delgadas. En un tazón pequeño bata una cucharada de la salsa de soya con una cucharadita de aceite de ajonjolí y 1 ½ cucharadita de fécula. Añada la carne y mezcle hasta cubrir. Deje reposar a temperatura ambiente durante 30 minutos. En un tazón pequeño de material no reactivo mezcle las 3 cucharadas restantes de salsa de soya, las 2 cucharaditas restantes de aceite de ajonjolí, 2 ½ cucharadas de fécula, el vinagre, pimienta y ¼ taza de agua. En otro tazón pequeño bata la ½ cucharadita restante de fécula, una cucharadita de agua y los huevos hasta incorporar por completo y reserve.

En una sartén grande de material no reactivo sobre fuego medio-alto mezcle el caldo con el jengibre y el anís estrella y lleve a ebullición. Cuando suelte el hervor reduzca el fuego a bajo, tape parcialmente y deje hervir a fuego lento de 15 a 20 minutos para que se mezclen los sabores. Mientras tanto, escurra los brotes de bambú y pique en tiras delgadas. Seque el tofu ligeramente con toallas de papel y corte en cubos de 1 cm (½ in). Añada la carne con su marinada a la olla y deje hervir a fuego lento cerca de 3 minutos, hasta que la carne esté opaca. Agregue los hongos y su líquido de remojo, los brotes de bambú y el tofu y deje hervir a fuego lento cerca de 3 minutos, hasta que estén totalmente calientes.

Revuelva la mezcla de vinagre, incorpore con el caldo y deje hervir a fuego lento cerca de 2 minutos, hasta que espese ligeramente. Revuelva la mezcla de huevo y rocíe sobre el caldo usando movimiento circular. Mezcle con cuidado para que el huevo forme listones delgados. Retire la olla del fuego y deje reposar cerca de 1 ½ minuto, hasta que los huevos estén completamente cocidos. Agregue las cebollitas de cambray; retire y deseche el anís estrella. Usando un cucharón pase a tazones precalentados y sirva de inmediato.

hongos shiitake secos, 8

chuleta de puerco sin hueso, 1 (aproximadamente 250g/½ lb)

salsa de soya, 4 cucharadas

aceite de ajonjolí asiático, 3 cucharaditas

fécula de maíz, 3 cucharadas más ½ cucharadita

vinagre negro chino, ½ taza

pimienta recién molida, 2 cucharaditas

huevos grandes, 2

caldo de pollo (página 142) o consomé de pollo bajo en sodio, 7 tazas

jengibre fresco, un trozo de 7 ½ cm (3 in), sin piel y finamente picado

anís estrella, 4

brotes de bambú, 1 lata (220 g/8 oz)

tofu extra firme, 200 g (7 oz)

cebollitas de cambray, 6, picadas en trozos de 2 ½ cm (1 in)

RINDE DE 6 A 8 PORCIONES

El largo y lento cocimiento concentra los azúcares naturales de las
cebollas transformando su fuerte sabor en una base extraordinaria para
esta robusta y sazonada sopa. Un manojo de hierbas frescas contrarresta
la dulzura de las cebollas con un sabor sazonado y aromático.

sopa de cebolla caramelizada con crutones de queso azul

perejil liso fresco, 3 ramas

tomillo fresco, 2 ramas

hojas secas de laurel,
2 pequeñas

mantequilla sin sal, 7
cucharadas, a temperatura
ambiente

cebollas amarillas, 1 kg (2 lb),
finamente rebanadas

**cebollas dulces como la
vidalia,** 1 kg (2 lb), finamente
rebanadas

**sal kosher y pimienta recién
molida**

vermouth seco, ¾ taza

**caldo de pollo (página 142) o
consomé de pollo bajo en
sodio,** 4 tazas

**caldo concentrado de res
(página 142) o caldo de res
bajo en sodio,** 2 tazas

pan tipo baguette, 1

**queso azul, de preferencia
una variedad fuerte y ácido
como el roquefort,**
170 g (6 oz)

RINDE 6 PORCIONES

Amarre con un cordel de cocina las ramas de perejil, tomillo y hojas de laurel y reserve. En una olla de hierro fundido u olla gruesa con tapa sobre fuego medio derrita 3 cucharadas de mantequilla. Añada todas las cebollas y una cucharadita de sal. Cocine cerca de 45 minutos, moviendo continuamente, hasta que las cebollas desprendan su humedad, ésta se evapore y se formen trocitos dorados en el fondo de la olla. Llene una taza para medir con 1 ⅔ de agua. Suba el fuego a medio-alto, agregue ⅓ taza de agua y, utilizando una cuchara de madera, raspe los trocitos dorados del fondo de la olla. Cocine cerca de 5 minutos, hasta que el agua se evapore y se vuelvan a formar los trocitos dorados. Repita la operación añadiendo ⅓ taza del agua cada vez, hasta que el agua se haya terminado.

Antes de la última adición de agua, agregue el vermouth, raspe los trocitos dorados y cocine cerca de 4 minutos, hasta que el líquido se haya casi evaporado. Añada el caldo de pollo y el de res, las hierbas atadas y 1 ½ cucharadita de sal; lleve a ebullición sobre fuego alto. Cuando suelte el hervor reduzca el fuego a bajo, tape y deje hervir a fuego lento cerca de 30 minutos para que se mezclen los sabores.

Mientras tanto, precaliente el horno a 220°C (425°F). Corte el pan diagonalmente en 12 rebanadas de aproximadamente 2 ½ cm (1 in) de grueso. Acomode las rebanadas en una charola para hornear y tueste en el horno cerca de 5 minutos, hasta dorar ligeramente. Retire del horno y precaliente el asador. Desmorone el queso azul sobre un tazón. Añada 2 cucharadas de mantequilla y, utilizando un tenedor, machaque hasta formar una pasta casi tersa. Unte cada rebanada de pan con una cucharada rasa de la mezcla de queso azul y regrese a la charola para hornear. Ase cerca de 1 ½ minuto, hasta que el queso tenga puntos dorados.

Agregue las 2 cucharadas restantes de mantequilla a la sopa y mezcle vigorosamente para integrar. Retire y deseche el manojo de hierbas, pruebe la sopa y rectifique la sazón. Usando un cucharón pase a 6 tazones precalentados, decore cada porción con 2 rebanadas de pan con queso azul y sirva de inmediato.

Esta sopa, dulce gracias a las cebollas caramelizadas y sazonada por la adición del caldo de res y el queso azul, toma un toque de acidez y de brillo del vermouth seco. Los toques ligeramente florales y herbáceos del vermouth perfeccionan los sabores contrastantes, desprendiendo un abanico completo de sabores.

sopa de poro y papa yukon dorada con prosciutto frito

Como acompañamiento para esta sopa se usan listones de prosciutto frito que, aunque son pequeños, proporcionan un delicioso sabor a carne y un toque soberbio. La riqueza del famoso jamón puntualiza el sabor a cebolla de los poros y la textura amantequillada de las papas yukon doradas, creando bocados crujientes y chiclosos de sabor salado.

Usando un cuchillo para chef corte y deseche la parte superior de los poros de color verde oscuro. Corte los poros longitudinalmente a la mitad y después corte cada mitad transversalmente en trozos de 1 cm (½ in) de grueso. Enjuague perfectamente y escurra.

En una olla de hierro fundido grande u olla gruesa con tapa sobre fuego medio, caliente el aceite de oliva. Añada el prociutto y fría cerca de 6 minutos, hasta dejar crujiente. Usando una cuchara ranurada, pase el prosciutto a un plato cubierto con toallas de papel para escurrir. Agregue los poros y ½ cucharadita de sal a la olla y mezcle para cubrir. Reduzca el fuego a medio-bajo, tape y cocine cerca de 10 minutos, moviendo ocasionalmente, hasta que los poros se suavicen. Agregue el tomillo y la harina y cocine, moviendo constantemente, hasta que la harina se haya incorporado por completo.

Aumente el fuego a medio-alto y, moviendo constantemente, agregue el caldo poco a poco. Añada las papas, hojas de laurel y pimienta al gusto; tape y lleve a ebullición. Cuando suelte el hervor reduzca el fuego a medio-bajo y deje hervir cerca de 6 minutos, hasta que las papas empiecen a estar suaves. Retire del fuego y deje reposar tapado cerca de 15 minutos, hasta que las papas se sientan totalmente suaves al ser picadas con la punta de un cuchillo mondador. Deseche las hojas de laurel y vuelva a hervir la sopa sobre fuego medio-alto. Si lo desea, utilice el revés de una cuchara grande para aplastar algunas papas contra la orilla de la olla y mezcle con la sopa para espesarla.

Pruebe la sopa y rectifique la sazón. Usando un cucharón pase a tazones precalentados, decore con el prosciutto frito y el cebollín y sirva de inmediato.

poros, 8 (aproximadamente 2 kg/4 lb en total)

aceite de oliva extra virgen, ¼ taza

prosciutto, 6 rebanadas (aproximadamente 85 g/ 3 oz), rebanado en listones

sal kosher y pimienta recién molida

tomillo fresco, 1 ½ cucharadita, finamente picado

harina de trigo, 2 cucharadas

caldo de pollo (página 142) o consomé de pollo bajo en sodio, 8 tazas

papas yukon doradas, 5 (aproximadamente 1 kg/ 2 ½ lb en total), picadas en trozos de 2 ½ cm (1 in)

hojas secas de laurel, 2 pequeñas

cebollín fresco, ½ taza, cortado con tijeras

RINDE DE 6 A 8 PORCIONES

sopa de zanahoria y coco con almendras al curry

azúcar, 1 ½ cucharadita

sal kosher y pimienta recién molida

semillas de cilantro molidas, 1 cucharada más ¼ cucharadita

polvo de curry, ½ cucharadita

mantequilla sin sal, 3 cucharadas más 1 ½ cucharadita

almendras en hojuelas, ½ taza, tostadas (página 145)

cebolla amarilla, 1, picada

zanahorias, 1 kg (2 lb), sin piel y finamente rebanadas

coco rallado sin azúcar, ¼ taza, tostado (página 145)

jengibre en polvo, ½ cucharadita

caldo de pollo (página 142) o consomé de pollo o de verduras bajo en sodio, 4 tazas

leche de coco sin endulzar, 2 latas (400 g/14 oz)

vinagre de arroz, 2 cucharaditas

RINDE DE 6 A 8 PORCIONES

En un tazón pequeño mezcle ½ cucharadita de azúcar con ¼ cucharadita de sal, ¼ cucharadita de semillas de cilantro y el polvo de curry.

En una sartén antiadherente sobre fuego medio-alto derrita 1 ½ cucharadita de mantequilla con una cucharada de agua y la cucharadita restante de azúcar. Lleve a ebullición, girando la sartén para mezclar. Agregue las almendras, mezcle para cubrir y cocine cerca de 45 segundos, hasta que el líquido casi se haya evaporado. Pase al tazón con la mezcla de especias y revuelva hasta cubrir las almendras uniformemente. Vierta sobre una hoja de papel encerado, extienda en una sola capa y reserve hasta enfriar.

En una sartén grande sobre fuego medio-alto derrita 3 cucharadas de mantequilla. Añada la cebolla, zanahoria, coco, jengibre y la cucharada restante de semillas de cilantro; mezcle hasta incorporar por completo. Reduzca el fuego a bajo, tape y cocine cerca de 10 minutos, hasta que las verduras suelten un poco de su líquido. Agregue el caldo, aumente el fuego a alto y lleve a ebullición. Cuando suelte el hervor reduzca el fuego a bajo, tape y deje hervir lentamente cerca de 20 minutos, hasta que las zanahorias estén muy suaves.

Trabajando en tandas, pase la mezcla a una licuadora y procese hasta obtener un puré terso. Vierta el puré hacia una olla limpia. Agregue la leche de coco, vinagre, una cucharadita de sal y pimienta al gusto y coloque sobre fuego medio-bajo. Cocine suavemente cerca de 10 minutos, moviendo de vez en cuando, hasta que esté caliente.

Pruebe la sopa y rectifique la sazón. Usando un cucharón pase a tazones precalentados, espolvoree con las almendras sazonadas y sirva de inmediato.

Los matices vivos y cítricos de las semillas de cilantro fijan dos tipos de dulzura en esta sopa: un dulce sabor familiar y natural de las zanahorias y otro más exótico y tropical del coco. Las almendras al curry proveen insinuaciones de sabor picante y a especias aromáticas además de una agradable textura crocante.

Los elegantes tallarines japoneses soba tiene un sabor anuezado proveniente de la harina del trigo sarraceno que se usa para prepararlos. En una sopa asiática de inspiración minimalista, el sabor dulce del callo de hacha de mar, lo ahumado del *dashi* y lo picante y herbáceo del berro resaltan la naturaleza de la soba.

dashi con callo de hacha, berro y tallarines soba

callo de hacha grande,
500 g (1 lb)

alga *kombu*, 2 cuadros de
10 cm (4 in)

hojuelas de bonito, 1 ½ taza
ligeramente compacta

**tallarines soba de trigo
sarraceno,** 500 g (1/2 lb)

salsa de soya, 5 cucharadas

mirin, 3 cucharadas

sal kosher

berro, 1 manojo, sin los tallos
duros

RINDE DE 6 A 8 PORCIONES

Retire y deseche el pequeño músculo lateral adherido al callo de hacha. Rebane cada callo transversalmente en tercios. Tape y refrigere hasta el momento de usar.

Para preparar el *dashi*, en una olla mezcle el *kombu* con 8 tazas de agua y caliente sobre fuego medio; no permita que suelte el hervor. Cuando el líquido empiece a formar pequeñas burbujas, retire y deseche el *kombu*. Agregue las hojuelas de bonito y mezcle para distribuir. Retire del fuego y deje reposar cerca de 5 minutos, tapado, hasta que las hojuelas de bonito lleguen al fondo de la olla y el caldo aromatice.

Mientras tanto, en otra olla grande sobre fuego alto hierva 8 tazas de agua. Añada los tallarines, reduzca el fuego a medio y deje hervir cerca de 3 minutos, hasta que estén suaves. Escurra los tallarines, enjuague perfectamente con agua tibia, escurra una vez más y divida entre tazones individuales.

Cuele el *dashi* a través de un colador de malla fina colocado sobre un tazón refractario y deseche las hojuelas de bonito. Regrese el *dashi* a la olla y coloque sobre fuego medio. Agregue la salsa de soya y el mirin y lleve a ebullición lenta. Añada el callo de hacha, reduzca el fuego a bajo y deje hervir lentamente cerca de 3 minutos, hasta que esté completamente opaco.

Pruebe el *dashi* y rectifique la sazón. Coloque el berro en los tazones sobre los tallarines, dividiéndolos uniformemente. Usando un cucharón pase el *dashi* a cada tazón, distribuyendo el callo de hacha uniformemente y sirva de inmediato.

Las aplumadas hojuelas de bonito, un icono de la despensa japonesa, infunden su sabor sazonado y ahumado a un caldo llamado dashi. A la vez delicado e intenso, ácido y fresco, el dashi es la base para esta sencilla sopa que adquiere importancia al agregarle callo de hacha, berro y tallarines soba.

caldo de pollo con zanahoria y bolas matzoh a las hierbas

El eneldo es el saborizante tradicional para el reconfortante caldo de pollo y la sopa con bolas de matzoh, pero en esta receta el sabor herbáceo del perejil y el toque ligero de las cebollas de cambray añaden al eneldo un acento fresco herbal. Las monedas de zanahoria le dan un suave toque dulce y tonos coloridos y el caldo de pollo preparado en casa proporciona una sopa con un delicioso sabor y textura.

En un tazón coloque el matzoh, 1 cucharada de sal y ³⁄₄ cucharadita de pimienta y mezcle hasta integrar por completo. En otro tazón, bata ligeramente 3 de los huevo e integre, batiendo, ²⁄₃ taza del caldo, el aceite, 2 cucharadas del eneldo, el perejil y las cebollitas de cambray. Separe los 3 huevos restantes colocando las claras en un tazón limpio y añadiendo las yemas a la mezcla de los huevos con hierbas. Bata la mezcla de huevo y hierbas, añada la mezcla de matzoh y revuelva hasta incorporar por completo.

Utilizando una batidora eléctrica a velocidad media-alta, bata las claras de huevo hasta que se formen picos firmes. Integre aproximadamente una cuarta parte de las claras con la mezcla de matzoh usando movimiento envolvente para aligerarla, e incorpore las claras restantes de la misma manera hasta que no se vean las claras. Tape y refrigere por lo menos durante 2 horas o hasta por 8 horas.

Lleve a ebullición una olla grande y ancha con agua sobre fuego alto e incorpore una cucharada de sal. Humedezca sus manos ligeramente y retire 3 cucharadas rasas de la pasta matzoh. Ruede la masa en sus manos para hacer una bola (deberá ser de aproximadamente 3 ½ cm/1 ½ in de diámetro) y coloque en un plato grande. Repita la operación hasta hacer 24 bolas de matzoh.

Con cuidado deje caer las bolas de matzoh en el agua hirviendo. Reduzca el fuego a medio-bajo, tape parcialmente y deje hervir lentamente cerca de 1 hora y 15 minutos, hasta que las bolas de matzoh floten en la superficie y se sientan muy suaves al picarlas con la punta de un cuchillo mondador.

Hacia el final del cocimiento de las bolas de matzoh, hierva 10 tazas de caldo en una olla grande sobre fuego alto. Agregue las zanahorias, reduzca el fuego a medio-bajo y deje hervir lentamente cerca de 5 minutos, hasta que las zanahorias estén suaves. Añada las 2 cucharadas restantes de eneldo.

Pruebe el caldo y rectifique la sazón. Para servir, pase 3 bolas de matzoh a cada uno de los 8 tazones precalentados con ayuda de una cuchara ranurada. Usando un cucharón coloque el caldo caliente sobre las bolas de matzoh, distribuyendo las zanahorias uniformemente, espolvoree con las hojas de eneldo y sirva de inmediato.

matzoh, 1 ½ taza

sal kosher y pimienta recién molida

huevos grandes, 6

caldo de pollo (página 142), 10 tazas más ²⁄₃ taza

aceite de canola, 6 cucharadas

eneldo fresco, 4 cucharadas, finamente picado, más hojas para decorar

perejil liso fresco, 2 cucharadas, finamente picado

cebollitas de cambray, 3, finamente rebanadas

zanahorias, 4, sin piel y finamente rebanadas

RINDE 8 PORCIONES

sopa fría de cerezas ácidas con estragón

cerezas ácidas frescas, 1 ½ kg (3 lb), sin tallo ni semilla

mantequilla sin sal, 3 cucharadas

chalotes, 4, finamente picados

ralladura fina de limón, 2 cucharaditas

vino tinto afrutado, 2 tazas

fécula de maíz, 2 cucharadas

azúcar, ⅔ taza más la necesaria

sal kosher

cerezas dulces frescas, 500 g (1 lb), sin tallo ni hueso y partidas en cuartos

crema espesa, ¼ taza

estragón fresco, ¼ taza

RINDE DE 6 A 8 PORCIONES

Coloque las cerezas ácidas en un procesador de alimentos y procese hasta obtener un puré terso. Pase el puré a través de un colador de malla fina colocado sobre un tazón y, utilizando una cuchara de madera, presione los sólidos para extraer la mayor cantidad de líquido posible. Deseche los sólidos en el colador.

En una olla grande de material no reactivo sobre fuego medio derrita la mantequilla. Agregue los chalotes y saltee cerca de 3 minutos, hasta suavizar. Incorpore la ralladura de limón y cocine cerca de 45 segundos, hasta que aromatice. Añada el puré de cereza ácida, el vino y 1 ½ taza de agua y mezcle hasta integrar por completo. Aumente el fuego a medio-alto y lleve a ebullición lenta.

En un tazón pequeño mezcle la fécula con ¼ taza de agua e incorpore con la mezcla de cereza hirviendo junto con ⅔ taza de azúcar y una pizca de sal. Reduzca el fuego a medio-bajo y deje hervir lentamente cerca de 4 minutos, moviendo continuamente, hasta que espese y adquiera la consistencia de una crema ligera. Retire del fuego e incorpore las cerezas dulces. Pase la sopa a un tazón de material no reactivo y deje enfriar completamente. Tape y refrigere por lo menos 4 horas o hasta 12 horas, hasta que esté bien fría.

Cuando esté listo para servir, pruebe la sopa y rectifique la sazón con sal y azúcar. Usando un cucharón pase a tazones fríos y rocie con la crema dividiéndola uniformemente. Usando una cuchara gire la crema en la sopa. Espolvoree con el estragón y sirva de inmediato.

El sabor herbal del estragón fresco, semejante al del anís, tiene una cualidad sazonada pero dulce que resalta el sabor similar al de la almendra del fin de la primavera que tienen las cerezas ácidas frescas. Esta sopa de origen húngaro, servida como primer plato, nos muestra una versión agridulce que debe despertar el apetito para los platillos que le seguirán.

El sabor vivo y vibrante del limón se encuentra en la piel colorida de la fruta, mientras que la acidez está en su jugo. Juntos, el jugo y la ralladura de limón proveen destellos cítricos a esta sopa primaveral que presenta un ingrediente de primavera por excelencia: las habas verdes.

sopa de huevo al limón con habas verdes y hojuelas de ajo frito

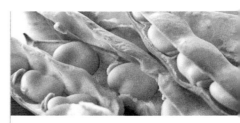

sal kosher

habas verdes en sus vainas, 1 ½ kg (3 lb)

limón amarillo, 1 grande

caldo de pollo (página 142) o consomé de pollo bajo en sodio, 8 tazas

arroz basmati crudo, ²/₃ taza

hojas secas de laurel, 1

aceite de oliva, 3 cucharadas

ajo, 6 dientes grandes, en rebanadas muy delgadas

huevos grandes, 2, a temperatura ambiente

yemas de huevo grandes, 2, a temperatura ambiente

RINDE DE 6 A 8 PORCIONES

En una olla grande sobre fuego alto hierva agua con un poco de sal. Llene un tazón con tres cuartas partes de agua con hielo. Agregue las habas verdes al agua hirviendo y cocine cerca de 2 minutos, hasta que la piel exterior se afloje. Escurra las habas e inmediatamente sumerja en el agua con hielo. Cuando las habas estén frías vuelva a escurrir y pellizque cada vaina para retirar la piel externa. Reserve.

Utilizando un pelador de verduras retire la piel del limón en tiras anchas. Exprima ¼ taza de su jugo y reserve.

En la misma olla grande sobre fuego alto hieva el caldo. Agregue el arroz, la piel del limón, hoja de laurel y 1 ½ cucharadita de sal. Reduzca el fuego a medio, tape y hierva lentamente de 15 a 20 minutos, hasta que el arroz esté suave.

Mientras tanto, caliente el aceite de oliva en una sartén pequeña sobre fuego medio. Agregue las rebanadas de ajo y cocine cerca de 3 minutos, hasta que estén doradas, moviendo continuamente y vigilando con cuidado para que no se quemen. Usando una cuchara ranurada pase las hojuelas de ajo a un plato cubierto con toallas de papel para escurrir.

Usando una cuchara ranurada retire y deseche la hoja de laurel y la piel del limón del caldo preparado. En un tazón refractario de material no reactivo bata los huevos con las yemas de huevo y el jugo de limón. Batiendo la mezcla de huevo constantemente, vierta 2 tazas del caldo preparado caliente poco a poco sobre la mezcla de huevo con ayuda de un cucharón. Continúe batiendo hasta integrar por completo y regrese la mezcla a la olla. Añada las habas, reduzca el fuego a bajo y cocine cerca de 5 minutos, moviendo constantemente, hasta que salga vapor y la sopa espese ligeramente. No permita que la sopa hierva y retire del fuego apenas haya espesado.

Pruebe la sopa y rectifique la sazón. Usando un cucharón pase a tazones precalentados, decore con las hojuelas de ajo dividiéndolas uniformemente y sirva de inmediato.

Las delicadas y amantequilladas habas verdes traen un aire de primavera a esta dinámica sopa inspirada en un platillo griego llamado avgolemono. En ella, la acides del limón balancea la riqueza de los huevos, mientras que el sabor anuezado del arroz basmati y los tostados ajos fritos añaden un intrigante sabor. Si usted tiene caldo de pollo preparado en casa, dará a esta sopa un sabor bien equilibrado.

verano

menestra de **verduras** con pasta orzo y pesto de **arúgula**

poros, 2 (aproximadamente 500g/1 lb en total)

aceite de oliva extra virgen, 3 cucharadas

zanahorias, 3, sin piel y picadas en cubos pequeños

tallo de apio, 1, en cubos pequeños

ajo, 2 dientes, finamente picados

romero fresco, 1 cucharadita, finamente picado

caldo de pollo (página 142) o consomé de pollo bajo en sodio, 4 tazas

jitomates maduros, 2 grandes, sin semillas y picados

corteza del queso parmesano parmigiano-reggiano, 1 trozo de 2 ½ cm (1 in)

sal kosher y pimienta recién molida

pasta orzo, ½ taza

ejotes verdes, 200 g (½ lb), cortados en trozos de 4 cm (1 ½ in)

calabacitas, 1, picadas en trozos de 2 cm (¾ in)

pesto de arúgula, (página 144)

RINDE DE 6 A 8 PORCIONES

Usando un cuchillo para chef corte y deseche la parte superior de los poros de color verde oscuro. Corte la parte blanca y verde claro longitudinalmente a la mitad y corte cada mitad transversalmente en trozos de 1 cm (½ in) de grueso. Enjuague muy bien y escurra.

En una olla de hierro fundido grande u olla gruesa con tapa, caliente el aceite de oliva a fuego medio-alto. Añada los poros, zanahorias y apio y saltee cerca de 7 minutos, hasta que estén suaves. Agregue el ajo y el romero y cocine cerca de 45 segundos, hasta que aromaticen. Añada el caldo, 2 tazas de agua, los jitomates y la corteza del queso. Aumente el fuego a alto y lleve a ebullición. Reduzca el fuego a bajo, tape parcialmente y hierva cerca de 20 minutos para mezclar los sabores.

Agregue 2 cucharaditas de sal y la pasta orzo al caldo y deje hervir a fuego lento cerca de 9 minutos, moviendo de vez en cuando, hasta que la pasta esté ligeramente firme. Añada los ejotes y cocine cerca de 4 minutos, hasta que estén de color verde brillante y suaves pero crujientes. Agregue las calabacitas y cocine cerca de 3 minutos, hasta que estén suaves. Retire y deseche la corteza del queso parmesano.

Pruebe la sopa y ajuste la sazón. Usando un cucharón pase a tazones precalentados, decore cada porción con el pesto de arúgula y sirva de inmediato.

Un trozo de corteza de queso parmesano Parmigiano-Reggiano hervido lentamente en el caldo infunde al líquido con un carácter rico en sabor del mismo queso. El resultado es un trasfondo profundo, increíble y complejo que hace que las verduras veraniegas y el apimentado pesto de arúgula realmente brillen.

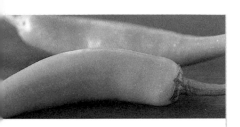

sopa de pollo y coco con calabazas de verano y edamame

El afilado y vibrante picor de los chiles serranos ayuda a definir la amplia variedad de sabores tanto dulces, salados, ácidos y picantes en esta sopa de inspiración tailandesa. El caldo enriquecido con leche de coco se sazona con la picante pasta de curry, la fuerte salsa de pescado y los tallos herbáceos de cilantro.

El edamame retiene su textura firme y su dulce y anuezado sabor al cocinarse y las rebanadas de la calabaza de verano se suavizan al remojarse en el líquido de intenso sabor.

Jale y deseche las capas externas y secas de los tallos de lemongrass. Utilizando un cuchillo para chef, corte la parte superior de los tallos en donde empieza la parte dura y deseche. Golpee los tallos con la parte plana del cuchillo y rebane finamente los tallos. Retire la piel del jengibre, corte en 4 rebanadas uniformes y presione cada pieza con la parte plana del cuchillo. Presione los chiles de la misma manera. Arranque ⅓ taza de hojas de cilantro y reserve. Pique suficientes tallos de cilantro para obtener ¼ taza.

En una olla grande mezcle el caldo con una lata de leche de coco, el lemongrass, jengibre, chiles, tallos de cilantro, chalotes y una cucharada de salsa de pescado. Lleve a ebullición sobre fuego alto, reduzca el fuego a bajo, tape y deje hervir lentamente alrededor de 15 minutos para mezclar los sabores.

Corte las calabazas transversalmente en rebanadas de ½ cm (¼ in) y reserve. Corte el pollo en rebanadas delgadas y reserve por separado. Cuele la infusión de caldo a través de un colador de malla fina. Limpie la olla y vuelva a colocar el caldo en la olla. Añada el azúcar y la lata restante de leche de coco y lleve a ebullición sobre fuego medio-alto. Incorpore el pollo y el edamame y vuelva a llevar a ebullición, reduzca el fuego a medio y deje hervir lentamente cerca de 5 minutos, hasta que el pollo esté casi opaco por todos lados. Agregue las calabazas y deje hervir lentamente cerca de 2 minutos más, hasta que estén suaves.

Mientras tanto, parta un limón en 8 rebanadas. Exprima 5 cucharadas de jugo de los 2 limones restantes. En un tazón pequeño de material no reactivo bata el jugo de limón, la 1 ½ cucharada restante de salsa de pescado y la pasta de curry. Añada esta mezcla y 2 ½ cucharaditas de sal a la olla y mezcle hasta integrar por completo.

Pruebe la sopa y ajuste la sazón. Usando un cucharón pase a tazones precalentados, decore cada porción con las hojas de cilantro reservadas y sirva de inmediato acompañando con una rebanada de limón para que cada comensal exprima a su gusto.

lemongrass (té limón con bulbo), 3 tallos

jengibre fresco, un trozo de 4 cm (1 ½ in)

chiles serranos, 3

cilantro fresco, ½ manojo

caldo de pollo (página 142) o consomé de pollo bajo en sodio, 5 tazas

leche de coco sin endulzar, 2 latas (de 400 g/14 oz cada una)

chalotes, 5, picados

salsa de pescado asiática, 2 ½ cucharadas

calabaza amarilla de verano, 2 (de aproximadamente 170 g/6 oz cada una)

pechugas de pollo en mitades, sin hueso ni piel, 500 g (1 lb)

azúcar mascabado claro, 1 ½ cucharada compacta

edamame congelado sin vaina, 1 ½ taza

limones amarillos, 3

pasta tai de curry rojo, 1 ½ cucharada

sal kosher

RINDE DE 6 A 8 PORCIONES

Los perfectos pimientos, eneldo y cebollas de verano se ennegrecen y suavizan
sobre el fuego de un ardiente asador. La esencia ahumada y la dulzura natural
de los vegetales resaltan la suave acidez de los jitomates madurados al sol en
esta versión para la clásica receta española de gazpacho.

gazpacho de verduras al carbón

pimientos rojos, 2

cebolla amarilla, 1 muy grande

bulbo de hinojo, 1

aceite de oliva extra virgen para barnizar y acompañar

pepino inglés, 1

jitomates maduros, 3 grandes

ajos, 2 dientes, finamente picados

sal kosher

vinagre de jerez, 7 cucharadas

jugo de tomate de buena calidad, 4 tazas

cubos de hielo, 10

salsa de chile picante, 1 ó 2 chorritos (opcional)

perejil liso, ¼ taza, finamente picado

albahaca fresca, 3 cucharadas, finamente picada

crutones de ajo tostados (página 144)

RINDE DE 8 A 10 PORCIONES

Prepare un asador de carbón o de gas para asar a fuego directo sobre fuego medio-alto (página 145). Vuelva a colocar la rejilla del asador.

Mientras el asador se calienta, corte cada pimiento longitudinalmente en trozos de 5 cm (2 in) de ancho y retire y deseche los tallos y las semillas. Corte la cebolla transversalmente en rebanadas de 1 cm (½ cm) de ancho. Recorte y deseche la parte superior del hinojo y corte el bulbo longitudinalmente en rebanadas de 1 cm (½ in) de grueso. Barnice los pimientos, cebolla e hinojo con aceite de oliva y acomode en el asador directamente sobre el fuego. Cocine los pimientos y cebollas cerca de 10 minutos y el eneldo aproximadamente 15 minutos, volteando ocasionalmente, hasta que las verduras estén suaves y marcadas con las líneas de la rejilla. Pase a una tabla para picar y deje enfriar.

Retire y deseche el corazón duro de las rebanadas del hinojo. Corte las verduras asadas en cubos de ½ cm (¼ in) y coloque en un tazón grande de material no reactivo. Retire las semillas del pepino y pique en cubos pequeños, agregue al tazón y mezcle con cuidado.

Descorazone los jitomates y corte perpendicularmente a la mitad. Coloque un colador de malla fina sobre un tazón y exprima con cuidado cada mitad de jitomate en el colador para retirar las semillas. Pique la pulpa del jitomate en cubos de ½ cm (¼ in) y coloque en el tazón con la mezcla de verduras. Incorpore el ajo, 2 cucharaditas de sal y el vinagre y deje reposar aproximadamente 10 minutos.

Mientras tanto, utilizando una cuchara de madera presione las semillas del jitomate sobre el colador extrayendo la mayor cantidad de líquido posible. Deseche las semillas. Pase el líquido al tazón con la mezcla de verduras, añada el jugo de tomate, cubos de hielo, salsa picante, si la usa, y mezcle para integrar. Tape y refrigere por lo menos durante 4 horas o hasta por 8 horas, hasta que esté bien frío.

Cuando esté listo para servir, incorpore el perejil y la albahaca a la sopa. Pruebe y rectifique la sazón. Usando un cucharón pase a tazones fríos y decore cada porción con un chorrito de aceite de oliva y unos cuantos crutones. Sirva de inmediato.

Una generosa cantidad de vinagre de jerez añade carácter a esta versión para esta clásica y refrescante sopa fría. El sabor a madera del vinagre hace resplandecer el sabor ahumado de las verduras asadas a la parrilla, mientras que su sabor afrutado complementa la dulzura de los jitomates rojos y maduros. Al finalizar con hierbas frescas, esta sopa sin guisar captura el verano en un tazón.

straciatella de huevo y queso parmesano con espinaca miniatura

Los huevos de granja frescos y el sabor anuezado del queso parmesano Parmigiano-Reggiano se confabulan para dar a esta sencilla sopa una sustanciosa riqueza, mientras que la espinaca miniatura da un color vibrante y un sabor fresco. Sólo unos cuantos ingredientes se usan para preparar esta sopa, por lo tanto, utilice solamente los ingredientes de la más alta calidad que pueda encontrar.

En una olla grande sobre fuego medio-alto hierva el caldo. Mientras tanto, ralle finamente el queso parmesano.

Divida la espinaca entre 6 u 8 tazones para sopa.

En una taza para medir líquidos mezcle la fécula con 2 cucharaditas de agua. Añada los huevos y sal y pimienta al gusto; bata ligeramente para integrar por completo.

Agregue ⅔ taza del queso y el aceite de oliva al caldo hirviendo. Incorpore la mezcla de huevo y vacíe sobre el caldo usando un movimiento circular. Mezcle suavemente para que el huevo forme listones, retire la olla del fuego y deje reposar cerca de 1 ½ minuto, hasta que los huevos se hayan cocido por completo.

Pruebe la sopa y ajuste la sazón. Usando un cucharón pase a los tazones con las espinacas y sirva de inmediato. Pase el queso restante a la mesa.

caldo de pollo (página 142) o consomé de pollo bajo en sodio, 8 tazas

queso parmesano parmigiano-reggiano, 1 trozo de 100 g (¼ lb)

espinaca miniatura, 4 tazas ligeramente compactas, toscamente picadas

fécula de maíz, 1 cucharadita

huevos grandes, 5

sal kosher y pimienta recién molida

aceite de oliva extra virgen, 2 cucharadas

RINDE DE 6 A 8 PORCIONES

Los sabores del mar y del campo hacen una deliciosa unión cuando la carne de la langosta se une con el dulce elote de verano. No se desperdicia ninguna gota del valor nutritivo en esta receta: Tanto los caparazones de la langosta como las piezas de elote se sumergen en el caldo que formará la base del chowder.

chowder de langosta y elote dulce

El tocino enriquece este exquisito chowder con su ahumado y salado sazón. La grasa que suelta el tocino se usa para acitronar las cebollas y los tocitos crujientes se agregan a la olla al final del cocimiento. Para la langosta dulce de mar no existe una mejor combinación que el suave elote de verano, las papas amantequilladas y la crema espesa y sedosa.

Retire la carne de las langostas, añadiendo los caparazones a una olla grande para caldo. Pique la carne en cubos de ¼ cm (½ in), tape y refrigere hasta el momento de usar. Añada 7 tazas de agua a la olla con los caparazones y lleve a ebullición sobre fuego alto.

Rebane 2 de las cebollas y agregue a la olla del caldo; pique finamente las 2 cebollas restantes y reserve. Retire las cáscaras y cabellos del elote y retire los granos de la pieza de elote (página 146). Reserve los granos y añada las piezas de elote a la olla con el caldo, agregue el vino, los jitomates con sus jugo, las ramas de perejil, 4 ramas de tomillo, las hojas de laurel y ½ cucharadita de sal. Reduzca el fuego a medio y deje hervir lentamente durante 1 ½ hora, retirando la espuma que suba a la superficie. Cuele el caldo de langosta a través de un colador de malla fina colocado sobre un tazón refractario grande y reserve. Deseche los sólidos.

Retire la piel de las papas y pique en trozos de 2 cm (³⁄₄ in). En una olla grande cocine el tocino sobre fuego medio alrededor de 8 minutos, hasta que esté crujiente. Pase a un plato cubierto con toallas de papel y deje escurrir. Deje 2 cucharadas de la grasa en la olla, deseche el resto y vuelva a colocar sobre fuego medio. Añada la mantequilla y la cebolla picada y saltee cerca de 5 minutos, hasta que las cebollas estén suaves. Agregue la páprika y cocine cerca de un minuto, hasta que aromatice. Añada las papas, las 2 ramas restantes de tomillo y 6 tazas del caldo de langosta (reserve el sobrante para otro uso). Suba el fuego a alto y lleve a ebullición. Tape y cocine cerca de 8 minutos, hasta que las papas empiecen a suavizarse. Utilizando una cuchara de madera presione algunos trozos de papa contra la orilla de la olla, mezcle con el líquido y cocine aproximadamente 5 minutos, hasta que las papas estén suaves. Reduzca el fuego a bajo y añada la carne de langosta, granos de elote, tocino, 2 cucharaditas de sal, pimienta al gusto y la crema. Cocine suavemente de 6 a 8 minutos más, hasta que los granos de elote estén suaves y la carne de langosta se haya calentado completamente.

Pruebe el chowder y ajuste la sazón. Incorpore el perejil picado, cubra con los crutones, si los usa, pase a tazones precalentados con ayuda de un cucharón y sirva de inmediato.

langostas americanas, 3, de 700 g (1 ½ lb) cada una, cocidas (página 145)

cebollas amarillas, 4

elotes amarillos frescos, 4 piezas

vino blanco seco, 1 taza

jitomates en cubos, 1 lata de 400 g (14 ½ oz)

perejil liso fresco, 4 ramas enteras más 4 cucharadas picado

tomillo fresco, 6 ramas

hojas de laurel, 2

sal kosher y pimienta recién molida

papas yukon doradas, 5, (70 g/2 ½ oz en total)

tocino, 6 rebanadas, cortadas transversalmente en tiras delgadas

mantequilla sin sal, 2 cucharadas

páprika dulce, 1 cucharadita

crema espesa, 1 ½ taza

crutones de ajo tostados (página 144; opcional)

RINDE DE 6 A 8 PORCIONES

sopa de jitomate y pan con aceite de ajo tostado

pan italiano de buena calidad, 450 g (1 lb) de preferencia del día anterior

aceite de oliva extra virgen, ½ taza

ajo, 8 dientes, finamente picados

sal kosher y pimienta recién molida

jitomates maduros, 6 grandes (aproximadamente 1 ¼ kg/ 3 lb en total)

cebolla morada, 1 grande, picada en cubos pequeños

zanahoria, 1, sin piel y picada en cubos pequeños

apio, 1 tallo, picado en cubos pequeños

perejil liso, 4 cucharadas, picado

caldo de pollo (página 142) o consomé de pollo bajo en sodio, 4 tazas

corteza de queso parmesano parmigiano-reggiano, 1 trozo de 5 cm (2 in)

hojas de albahaca fresca, 6 cucharadas, toscamente picadas

RINDE DE 6 A 8 PORCIONES

Rebane el pan en cubos de 4 cm (1 ½ in) y reserve.

En una sartén pequeña sobre fuego medio-alto caliente ¼ taza del aceite de oliva. Añada la mitad del ajo y cocine de 12 a 15 minutos, moviendo ocasionalmente, hasta que esté ligeramente dorado y muy aromático. Retire del fuego, incorpore una pizca de sal y reserve.

Descorazone los jitomates y corte transversalmente a la mitad. Coloque un colador de malla fina sobre un tazón y con cuidado exprima las semillas de cada mitad de jitomate sobre el colador. Pique toscamente la carne de los jitomates y reserve. Con una cuchara de madera, presione sobre las semillas en el colador, extrayendo la mayor cantidad de líquido posible. Deseche las semillas del colador.

En una olla de hierro fundido u otra olla gruesa con tapa sobre fuego medio, caliente el ¼ taza restante de aceite. Agregue la cebolla, zanahoria, apio y 2 cucharadas de perejil y saltee cerca de 7 minutos, hasta que las verduras estén suaves. Agregue el ajo restante y cocine cerca de 45 segundos, hasta que aromatice. Incorpore el caldo, 2 tazas de agua, los jitomates con su jugo y la corteza del queso parmesano. Aumente el fuego a medio-alto, lleve a ebullición y cuando suelte el hervor, reduzca el fuego a medio. Tape parcialmente y hierva cerca de 15 minutos, hasta que los jitomates se desbaraten. Agregue los cubos de pan, presionándolos con una cuchara para sumergirlos, tape y deje hervir lentamente cerca de 10 minutos, hasta que el pan se desbarate parcialmente. Retire del fuego y añada las 2 cucharadas restantes de perejil, 2 cucharaditas de sal y pimienta al gusto. Deje reposar durante 2 minutos. Retire y deseche la corteza de queso.

Pruebe la sopa y ajuste la sazón. Usando un cucharón pase a tazones precalentados y decore cada porción con albahaca y una cucharadita de ajo tostado y su aceite. Sirva de inmediato.

Al tostar lentamente el ajo en aceite suaviza su fuerte sabor, haciéndolo dulce y con sabor a nuez. En esta sustanciosa sopa veraniega, un chorrito de aceite de oliva afrutado infundido con ajo tostado, acentúa el sabor vivo de los jitomates maduros y del trigo en el chicloso pan artesanal. Las hierbas espolvoreadas sobre la sopa añaden frescura y resaltan el color verde.

bisque de **jitomate amarillo** asado con obleas de **queso asiago**

El picante y ligeramente afrutado queso asiago toma un sabor caramelizado al rallarse y freírse en una sartén. Se forman unas irresistibles obleas crujientes parecidas a un encaje, que son el perfecto acompañamiento para esta sopa aterciopelada que presenta dulces y maduros jitomates acentuados con un trasfondo herbal y anisado de albahaca fresca.

Precaliente el horno a 230°C (450°F). Coloque una hoja de papel aluminio sobre una charola para hornear con borde. Descorazone los jitomates y corte transversalmente a la mitad. Coloque un colador de malla fina sobre un tazón y con cuidado exprima las semillas de cada mitad de jitomate en el colador. Corte cada mitad una vez más a la mitad y coloque los cuartos de jitomate en la charola con el papel, con la cara cortada hacia abajo. Ase cerca de 50 minutos, hasta que la piel esté dorada y ampollada, rotando la charola después de 25 minutos. Mientras tanto, usando una cuchara de madera, presione las semillas en el colador, extrayendo la mayor cantidad de líquido posible. Deseche las semillas del colador. Deje que los jitomates asados se enfríen en la charola. Desprenda y deseche la piel.

En una olla de hierro fundido u otra olla gruesa con tapa, derrita la mantequilla sobre fuego medio. Agregue los chalotes y saltee cerca de 3 minutos, hasta que estén suaves. Añada el ajo y cocine cerca de 45 segundos, hasta que aromatice. Incorpore la pasta de jitomate y cocine cerca de 45 segundos, hasta que aromatice. Añada a la olla el caldo, arroz y jitomates amarillos con su jugo. Aumente el fuego a medio-alto, tape y lleve a ebullición. Cuando suelte el hervor reduzca el fuego a medio-bajo y hierva cerca de 30 minutos, moviendo ocasionalmente, hasta que el arroz esté muy suave. Agregue una cucharada de la albahaca.

Trabajando en tandas, pase la mezcla a una licuadora y muela hasta obtener un puré terso. Vierta el puré hacia una olla limpia. Añada el jerez, crema, jugo de limón, 2 cucharaditas de sal y pimienta al gusto. Coloque sobre fuego medio-bajo y cocine cuidadosamente cerca de 10 minutos, moviendo de vez en cuando, hasta que se haya calentado por completo.

Pruebe la sopa y ajuste la sazón, añadiendo las 2 cucharadas restantes de albahaca y el azúcar, si fuera necesario para contrarrestar la acidez. Usando un cucharón pase a tazones precalentados, decore cada porción con 1 ó 2 obleas de queso asiago y sirva de inmediato.

jitomates amarillos, 6 (aproximadamente 1 ¼ kg/ 3 lb en total)

mantequilla sin sal, 3 cucharadas

chalotes, 5, finamente picados

ajo, 1 diente, finamente picado

pasta de jitomate, 1 cucharada

caldo de pollo (página 142) o consomé de pollo bajo en sodio, 6 tazas

arroz blanco, ⅓ taza

albahaca fresca, 3 cucharadas, picada

jerez seco, 1 cucharada

crema espesa, ½ taza

jugo de limón fresco, ½ cucharadita

sal kosher y pimienta recién molida

azúcar, 1 pizca (opcional)

obleas de queso asiago (página 144)

RINDE DE 6 A 8 PORCIONES

Con su fina consistencia crujiente y húmeda similar a la del melón, los pepinos son un alimento muy refrescante. El ácido yogurt y el limón, la menta fresca y el rico aceite de oliva son homólogos de un gusto suntuoso en esta sopa de pepino fría de verano que vigorizará su paladar.

sopa fría de pepino y yogurt con limón y menta

pepinos, 6 grandes (aproximadamente 2 kg/5 lb en total)

hojas de menta o hierbabuena fresca, ½ taza, finamente picadas

aceite de oliva extra virgen, 4 cucharadas

limón amarillo, 1 grande

caldo de pollo (página 142) o consomé de pollo bajo en sodio, 4 tazas

yogurt de leche entera, 4 tazas

ajos, 2 dientes pequeños, finamente picados

sal kosher y pimienta recién molida

RINDE DE 8 A 10 PORCIONES

Retire la piel y las semillas de los pepinos (página 146). Pique un pepino en cubos pequeños y coloque la mitad de los cubos entre capas de toallas de papel, presionando para absorber el exceso de humedad. Pase los pepinos secos a un tazón pequeño, añada 2 cucharadas de la menta y una cucharada de aceite de oliva y mezcle. Tape y refrigere hasta el momento de usar. Reserve los cubos de pepino restante. Corte los 5 pepinos restantes en trozos grandes.

Ralle finamente la piel del limón y exprima 3 cucharadas de su jugo. En un procesador de alimentos mezcle la mitad de los trozos de pepino con 3 cucharadas de menta, la mitad de la ralladura de limón y una taza del caldo y procese hasta obtener un puré grueso. Pase a un tazón grande de material no reactivo. Repita la operación con los trozos de pepino restantes, las 3 cucharadas restantes de menta, la ralladura restante de limón y una taza del caldo restante y añada al tazón. Agregue las 2 tazas del caldo restante a la mezcla de puré en el tazón junto con los cubos de pepino reservados, las 3 cucharadas restantes de aceite de oliva, el jugo de limón, yogurt, ajo, 1 ½ cucharadita de sal y pimienta al gusto. Mezcle hasta integrar por completo, tape y refrigere por lo menos durante 4 horas o hasta por 12 horas, hasta que esté bien frío.

Cuando esté listo para servir pruebe la sopa fría y rectifique la sazón. Usando un cucharón pase a tazones fríos, decore cada porción con una cucharada del pepino frío con menta y sirva de inmediato.

Una refrescante frescura es el rasgo dominante de la menta fresca, pero si la prueba cuidadosamente detectará también su profundo sabor dulce. Estos sabores redundan la misma cualidad de los pepinos. El ácido yogurt y el limón son el perfecto contraste para la delicada naturaleza del pepino.

sopa de frijol negro y elote dulce con chile poblano

Los chiles poblanos de brillante color verde oscuro tienen un natural sabor vegetal y un ligero toque picante. Chamuscados debajo de un asador caliente, los chiles toman un sabor asado, casi ahumado y forman el perfecto trasfondo para el elote dulce, los frijoles negros y los aromáticos ajo y comino en esta sopa de inspiración mexicana.

Coloque la rejilla del horno aproximadamente a 15 cm (6 in) de la fuente de calor y precaliente el asador de su horno. Coloque los chiles en una charola para hornear con borde y ase de 10 a 15 minutos, volteando ocasionalmente, hasta que la piel esté tostada. Pase los chiles a un tazón y cubra. Deje enfriar alrededor de 15 minutos; el vapor hará que se aflojen las pieles. Retire y deseche la piel, las semillas y los tallos de los chiles. Corte 2 de los chiles en tiras delgadas y reserve; pique toscamente los 3 chiles restantes y reserve por separado.

Retire las hojas y cabellos de los elotes y retire los granos (página 146). Deseche los elotes.

En una olla de hierro fundido u otra olla gruesa con tapa sobre fuego medio, caliente el aceite de oliva. Agregue las cebollas amarillas y los chiles picados y saltee cerca de 5 minutos, hasta que las cebollas estén suaves. Añada el ajo, comino y orégano y cocine cerca de 45 segundos, hasta que aromatice. Incorpore el caldo, granos de elote y frijoles y mezcle hasta integrar. Aumente el fuego a alto, lleve a ebullición y cuando suelte el hervor reduzca el fuego a bajo y deje hervir a fuego lento cerca de 20 minutos para mezclar los sabores.

Pase la mitad de la mezcla a una licuadora y muela hasta obtener un puré terso. Regrese el puré a la olla con la mezcla. Añada una cucharada de jugo de limón, 2 ½ cucharaditas de sal y pimienta al gusto; mezcle hasta integrar por completo y coloque sobre fuego medio-bajo. Cocine con cuidado alrededor de 10 minutos, moviendo ocasionalmente, hasta que esté caliente.

Pruebe la sopa y ajuste la sazón añadiendo más jugo de limón si lo desea, cubra con las tiras de chile asado y las rebanadas de cebolla morada. Usando un cucharón pase la sopa a tazones precalentados y sirva de inmediato.

chiles poblanos, 5 (aproximadamente 700 g/ 1 ½ lb en total)

elote dulce fresco, 4 piezas

aceite de oliva, 2 cucharadas

cebollas amarillas, 2, finamente picadas

ajo, 6 dientes, finamente picados

comino molido, 1 cucharada

orégano seco, 2 cucharaditas

caldo de pollo (página 142) o consomé de pollo bajo en sodio, 6 tazas

frijol negro seco, 340 g (³⁄₄ lb), cocidos y escurridos (página 145)

jugo de limón fresco, 1 cucharada más el necesario

sal kosher y pimienta recién molida

cebolla morada, ½ pequeña, finamente rebanada

RINDE DE 6 A 8 PORCIONES

sopa de berenjena asada con comino y yogurt griego

aceite de oliva extra virgen, 1 cucharada más el necesario para asar y barnizar

berenjenas, 2 grandes (aproximadamente 1 kg / 2 ½ lb en total), sin piel y cortadas transversalmente en rebanadas de 2 ½ cm (1 in) de grueso

jitomates maduros, 3 (aproximadamente 600 g/1 ¼ lb en total), descorazonados, partidos a la mitad y sin semillas

zanahorias, 3, sin piel y picadas en cubos pequeños

chalotes, 5, finamente picados

ajo, 3 dientes, finamente picados

tomillo fresco, ³/₄ cucharadita, finamente picado

comino molido, ¼ cucharadita

vino blanco afrutado, 1 taza

caldo de pollo (página 142) o consomé de pollo o de verdura bajo en sodio, 5 tazas

sal kosher y pimienta recién molida

yogurt estilo griego, ½ taza

RINDE DE 6 A 8 PORCIONES

Prepare un asador de carbón o gas para asar a fuego directo sobre fuego medio-alto (página 145). Vuelva a colocar la rejilla del asador en su lugar y barnice con aceite de oliva. Barnice las rebanadas de berenjena y las mitades de jitomate con aceite de oliva y acomode en el asador directamente sobre el fuego. Cocine los jitomates alrededor de 8 minutos y las berenjenas cerca de 10 minutos, volteando conforme sea necesario, hasta que se hayan suavizado y marcado con la rejilla. Pase a una tabla para picar. Cuando los jitomates estén lo suficientemente fríos para poder tocarlos, retire y deseche la piel. Pique toscamente las rebanadas de berenjena menos una de ellas. Pique la rebanada de berenjena restante en cubos pequeños y reserve.

En una olla de hierro fundido u otra olla gruesa con tapa sobre fuego medio-alto caliente una cucharada del aceite de oliva. Agregue las zanahorias y saltee cerca de 4 minutos, hasta que empiecen a suavizarse. Añada los chalotes, ajo, tomillo y comino y cocine cerca de 2 minutos, moviendo ocasionalmente, hasta que aromaticen. Agregue los jitomates, la berenjena toscamente picada, el vino y el caldo y lleve a ebullición. Cuando suelte el hervor reduzca el fuego a bajo, tape parcialmente y deje hervir a fuego lento cerca de 15 minutos para mezclar los sabores.

Trabajando en tandas, pase la mezcla a una licuadora y muela hasta obtener un puré grueso. Vierta el puré hacia una olla limpia y añada 1 ½ cucharadita de sal y pimienta al gusto. Coloque cerca de 10 minutos a fuego medio-bajo, moviendo ocasionalmente hasta que se haya calentado por completo.

Pruebe la sopa y rectifique la sazón. Usando un cucharón pase a tazones precalentados, decore cada porción con una cucharada de yogurt y un poco de la berenjena finamente picada. Sirva de inmediato.

La textura suave de la berenjena cocida se transforma en una sopa que no necesita crema para enriquecer su sedosa textura. Rebanadas de berenjena asada afirman su sabor ahumado, los chalotes y ajos añaden su fuerte dulzura, el vino blanco resalta su brillo y el toque sabor a almizcle del comino brinda a la sopa un exótico sabor.

Al dorar las calabacitas se disminuye su humedad resaltando su sabor delicado a calabaza. El aromático ajo cosechado en la cumbre de su estación se endulza al cocinarse a la sartén, pero una pequeña cantidad de ajo crudo en la guarnición de hierbas añade un toque de sabor a esta sopa veraniega.

sopa de calabacita al ajo con gremolata de albahaca

poros, 3 (aproximadamente 700 g/1 ½ lb en total)

limones amarillos, 2

aceite de oliva, 3 cucharadas

calabacitas, 3 (aproximadamente 700 g/1 ½ lb en total), picadas en cubos de 1 cm (½ in)

ajo, 3 cucharadas, finamente picado

sal kosher y pimienta recién molida

tallo de apio, 1, finamente picado

caldo de pollo (página 142) o **consomé de pollo bajo en sodio**, 8 tazas

papa russet, 1, sin piel y picada en cubos pequeños

perejil liso, 3 cucharadas, finamente picado

albahaca fresca, 3 cucharadas, finamente picada

RINDE DE 6 A 8 PORCIONES

Corte y deseche la parte de color verde oscuro de los poros. Corte los poros longitudinalmente en cuartos y después corte transversalmente en trozos de ½ cm (¼ in). Enjuague perfectamente y escurra. Utilizando un pelador de verduras retire anchas rebanadas de la piel de un limón.

En una olla de hierro fundido grande o una olla gruesa con tapa sobre fuego alto caliente 1 ½ cucharada de aceite de oliva. Añada dos terceras partes de las calabacitas partidas en cubos y coloque en una sola capa. Cocine cerca de 1 ½ minuto, sin mover, hasta que empiecen a dorarse. Mezcle para redistribuir y cocine cerca de un minuto más, moviendo ocasionalmente, hasta que las calabacitas estén ligeramente suaves. Incorpore una cucharada del ajo picado y ¼ cucharadita de sal; cocine cerca de 30 segundos, hasta que aromatice. Pase a un plato grande.

Añada la 1 ½ cucharada restante de aceite de oliva a la olla y caliente sobre fuego medio-alto. Agregue los poros, apio, una cucharada del ajo picado y ¼ cucharadita de sal y mezcle hasta incorporar por completo. Reduzca el fuego a bajo, tape y cocine cerca de 10 minutos, moviendo ocasionalmente, hasta que los poros se suavicen. Añada el caldo, papa, tiras de ralladura de limón y la calabacita restante, suba el fuego a alto y lleve a ebullición. Reduzca el fuego a bajo, cubra parcialmente, y deje hervir lentamente cerca de 15 minutos, moviendo ocasionalmente, hasta que la papa esté suave.

Mientras tanto, para preparar la *gremolata*, ralle finamente la piel del último limón. En un tazón pequeño mezcle la ralladura de limón con la cucharada restante del ajo finamente picado, el perejil y la albahaca. Reserve.

Usando una cuchara ranurada retire y deseche las tiras de ralladura de la olla. Use una cuchara para presionar la papa y la calabacita contra la orilla de la olla e incorpore a la sopa para espesarla ligeramente. Incorpore la calabacita salteada, una cucharadita de sal y pimienta al gusto.

Pruebe la sopa y rectifique la sazón. Usando un cucharón pase a tazones precalentados, decore con la *gremolata* y sirva de inmediato.

La gremolata es un condimento italiano de hierbas con un vibrante sabor y color. En esta receta la albahaca toma el lugar del clásico perejil para añadir un matiz de orozuz al sabor herbal. Al cubrirla con esta sencilla mezcla, una sopa de calabacita infundida con ajo obtiene un atrevido toque veraniego.

otoño

sopa de calabaza con pepitas dulces y sazonadas

azúcar, ½ cucharadita

páprika, ½ cucharadita

pimienta de cayena, ½ cucharadita más 1 pizca

sal kosher y pimienta recién molida

mantequilla sin sal, 3 ½ cucharadas

miel de maple pura categoría B, 7 cucharadas

pepitas de calabaza sin cáscara, ½ taza, tostadas (página 145)

cebolla amarilla, 1, finamente picada

tallos de apio, 2, finamente picados

ajo, 2 dientes, finamente picados

vino blanco seco, ½ taza

caldo de pollo (página 142) o consomé de pollo bajo en sodio, 6 tazas

puré de calabaza, 3 latas (de 425 g/15 oz cada una)

crema espesa, ¾ taza

RINDE DE 6 A 8 PORCIONES

En un tazón pequeño mezcle el azúcar, páprika, ¼ cucharadita de pimienta de cayena y ¼ cucharadita de sal. En una sartén antiadherente sobre fuego medio-alto derrita ½ cucharada de la mantequilla con una cucharada de la miel de maple y una cucharadita de agua. Lleve a ebullición, agitando la sartén para mezclar. Agregue las pepitas de calabaza y mezcle para cubrir; cocine 1 ó 2 minutos, hasta que el líquido casi se haya evaporado. Pase al tazón con la mezcla de especias y revuelva para cubrir las semillas de calabaza uniformemente. Coloque sobre un trozo de papel encerado, extienda en una sola capa y deje enfriar.

En una olla de hierro fundido grande o una olla gruesa con tapa sobre fuego medio derrita las 3 cucharadas restantes de mantequilla. Añada la cebolla y apio; saltee cerca de 7 minutos, hasta estén suaves se empiecen a dorar. Agregue el ajo y cocine cerca de 45 segundos, hasta que aromatice. Añada el vino, aumente el fuego a alto y lleve a ebullición. Cocine cerca de 2 minutos, hasta que se reduzca a ¼ taza. Agregue el caldo y el puré de calabaza, mezcle hasta integrar y lleve a ebullición. Cuando empiece a hervir, reduzca el fuego a bajo, tape parcialmente y cocine a fuego lento cerca de 10 minutos para integrar los sabores.

Añada a la olla las 6 cucharadas restantes de miel de maple, la pizca de pimienta de cayena, 2 cucharaditas de sal y pimienta al gusto. Mezcle, tape y deje hervir a fuego lento cerca de 10 minutos más para integrar los sabores.

Mientras tanto, agregue la crema a un tazón. Usando un batidor globo o una batidora eléctrica a velocidad media-alta, bata la crema hasta que se formen picos suaves.

Pruebe la sopa y rectifique la sazón. Usando un cucharón pase a tazones precalentados, agregue una cuchara de crema, decore con las pepitas de calabaza sazonadas y sirva de inmediato.

Las pepitas de las calabazas, de color gris verdoso, poseen un intrigante sabor a calabaza que las diferencia del resto de las nueces y semillas. Las semillas, al igual que la carne de la calabaza, combinan bien con ingredientes dulces como la miel de maple y las especias cálidas como la pimienta de cayena que añade un toque penetrante de picor a esta receta otoñal.

mejillones en caldo de curry amarillo con albahaca tai

Medianamente sazonada, la pasta tai de curry amarillo (la cual tiene un tono rojizo) toma su color y sabor natural por la abundancia de cúrcuma y su deliciosa complejidad gracias a la diversidad de otros ingredientes entre los cuales están el lemongrass, chiles y chalotes. En esta receta la leche de coco sazonada con curry amarillo se combina con los jugos ácidos que se desprenden de los mejillones al cocinarse, proporcionándonos un caldo de intenso sabor.

Cepille los mejillones y desprenda las barbas pegadas a las conchas. Deseche los mejillones que no cierren al tacto. Exprima el jugo de 2 de los limones. Corte el limón restante en 6 rebanadas y reserve.

En una olla para caldo u otra olla grande con tapa sobre fuego medio-alto caliente el aceite. Añada los chalotes, ajo, jengibre y pasta de curry y mezcle hasta integrar por completo y cubrir los chalotes con el aceite. Saltee cerca de 2 minutos, hasta que aromatice y los chalotes estén ligeramente suaves. Añada el jugo de limón, leche de coco y salsa de pescado; lleve a ebullición. Agregue los jitomates, la mitad de la albahaca y los mejillones y mezcle. Aumente el fuego a alto, tape y cocine cerca de 8 minutos, moviendo ocasionalmente, hasta que los mejillones se abran. Deseche los mejillones que no se hayan abierto después de uno o dos minutos más.

Añada la albahaca restante. Coloque los mejillones en tazones precalentados y, con ayuda de un cucharón, cubra con un poco de caldo de curry, espolvoree con el cilantro y sirva de inmediato acompañando con las rebanadas de limón para exprimir al gusto.

mejillones, 3 kg (6 lb)

limones amarillos, 3

aceite de canola, 2 cucharadas

chalotes, 8, finamente rebanados

ajo, 6 dientes, finamente picados

jengibre fresco, un trozo de 5 cm (2 in), sin piel y finamente picado

pasta de curry amarillo tai, ¼ taza

leche de coco ligera sin endulzar, 2 latas (de 400 g/14 oz cada una)

salsa de pescado asiática, 1 cucharada

jitomates maduros, 2 grandes (aproximadamente 500 g/ 1 lb en total), sin semillas y picados en cubos pequeños

hojas de albahaca fresca tai, ½ taza, troceadas

hojas de cilantro fresco, ½ taza

RINDE 6 PORCIONES

Si se saltean rápidamente los hongos cremini rebanados se concentra su sabor a carne, lo cual es indispensable para obtener un profundo sabor en una sustanciosa sopa otoñal. Los hongos porcini aumentan el profundo sabor de los hongos cremini al mismo tiempo que la cebada añade un saludable sabor natural.

sopa de carne de res y hongos con cebada perla

Los hongos porcini secos tienen un sabor a madera y una aroma intenso a tierra que combina fácilmente con la riqueza de la carne y realza su carnosidad. La cebada, con su sabor anuezado y textura chiclosa, agrega otro elemento de cordialidad a esta sopa.

Añada los hongos porcini a un tazón refractario y cubra con el agua hirviendo. Deje remojar cerca de 20 minutos, hasta que se suavicen. Retire los hongos porcini del agua y rebane finamente. Vierta el líquido de remojo a través de un colador de malla fina cubierto con un trozo de manta de cielo húmeda colocado sobre un tazón. Reserve los hongos y el líquido de remojo.

En una olla de hierro fundido o una olla gruesa con tapa sobre fuego medio, caliente una cucharada del aceite de oliva. Añada los hongos cremini y saltee cerca de 7 minutos, hasta que los hongos desprendan su humedad y parte del líquido se haya evaporado. Agregue la ½ cucharada restante de aceite, cebolla, zanahorias y tomillo y saltee cerca de 7 minutos, hasta que las verduras estén suaves y empiecen a dorarse. Añada el ajo y cocine cerca de 45 segundos, hasta que aromatice. Añada los hongos porcini reservados y su líquido de remojo, los jitomates, la cebada y el caldo de res. Aumente el fuego a alto y lleve a ebullición. Cuando suelte el hervor, reduzca el fuego a bajo y deje hervir a fuego lento cerca de 20 minutos, moviendo ocasionalmente, hasta que la cebada empiece a estar suave.

Añada la carne deshebrada, 2 cucharadas de perejil, 1 ½ cucharadita de sal y pimienta al gusto; mezcle hasta integrar por completo. Hierva a fuego lento cerca de 10 minutos más, hasta que esté caliente y la cebada esté muy suave.

Pruebe la sopa y rectifique la sazón. Usando un cucharón pase a tazones precalentados, decore con el perejil restante y sirva de inmediato.

hongos porcini secos, 20 g (³⁄₄ oz) (³⁄₄ taza ligeramente compacta)

agua hirviendo, 1 taza

aceite de oliva, 1 ½ cucharada

hongos cremini, 340 g (³⁄₄ lb), finamente rebanados

cebolla amarilla, 1, finamente picada

zanahorias, 3, sin piel y en rebanadas de ½ cm (¼ in) de grueso

tomillo fresco, 1 ½ cucharadita, finamente picado

ajo, 3 dientes, finamente picados

jitomates en dados de lata con su jugo, ³⁄₄ taza

cebada perla, 1 ½ taza, enjugada y escurrida

caldo de res concentrado (página 142), 2 litros (2 qt), más 2 tazas de la carne usada para hacer el caldo, deshebrada

perejil liso fresco, 4 cucharadas, picado

sal kosher y pimienta recién molida

RINDE DE 6 A 8 PORCIONES

sopa de pollo y tomate verde con chile chipotle

tortillas de maíz, 12

aceite de canola, 3 cucharadas

sal kosher y pimienta recién molida

caldo de pollo (página 142) o consomé de pollo bajo en sodio, 8 tazas

pechuga de pollo sin hueso ni piel, 700 g (1 ½ lb)

orégano fresco, 1 rama

cilantro fresco, 10 ramas

ajo, 9 dientes, machacados

tomates verdes, 500 g (1 lb), sin la piel apapelada y picados

cebolla blanca, 1, picada

chiles chipotles en salsa de adobo, 2 grandes, finamente picados, más 1 cucharada del adobo

jugo de limón amarillo fresco, 4 cucharaditas

aguacate hass maduro, 1

jitomates cereza o uva, 1 ½ taza, partidos en cuartos

queso cotija o feta, 230 g (½ lb), desmoronado

RINDE DE 6 A 8 PORCIONES

Precaliente el horno a 220°C (425°F). Corte las tortillas en tiras de ½ cm (¼ in) y coloque en un tazón. Rocíe con 1 ½ cucharada del aceite, espolvoree con ¼ cucharadita de sal y mezcle hasta cubrir. Acomode las tiras sobre una charola con borde y hornee cerca de 15 minutos, sacudiendo y rotando la charola a la mitad del cocimiento, hasta que estén crujientes. Pase a un plato cubierto con toallas de papel para escurrir.

En una olla grande mezcle el caldo con las pechugas de pollo, orégano, ramas de cilantro y 3 de los dientes de ajo machacados y lleve a ebullición sobre fuego medio-alto. Reduzca el fuego a bajo, tape y deje hervir a fuego lento de 15 a 20 minutos, hasta que el pollo esté completamente opaco. Pase el pollo a un plato y deje enfriar. Pase el caldo a través de un colador de malla fina colocado sobre un tazón refractario grande. Deseche los sólidos del colador. Limpie la olla y reserve. Deshebre el pollo en trozos del tamaño de un bocado y reserve.

En un procesador de alimentos mezcle los tomates verdes con la cebolla, chiles chipotle, salsa de adobo y los 6 dientes de ajo restantes. Procese hasta obtener un puré terso. En la olla limpia, caliente la 1 ½ cucharada restante de aceite sobre fuego alto. Añada la mezcla de tomate y fría cerca de 15 minutos, moviendo ocasionalmente, hasta que se evapore el líquido, se oscurezca el líquido y la mezcla aromatice. Agregue el caldo y hierva a fuego lento. Cocine alrededor de 10 minutos, moviendo ocasionalmente, para integrar los sabores. Agregue 1 ½ cucharadita de sal, 3 cucharaditas del jugo de limón, el pollo deshebrado y pimienta al gusto; deje hervir a fuego lento cerca de 5 minutos, hasta que el pollo se haya calentado completamente.

Mientras tanto, deshuese el aguacate, pele y pique en cubos, coloque en un tazón de servicio pequeño, mezcle con la cucharadita restante del jugo de limón. Coloque los jitomates y queso en tazones de servicio pequeños por separado.

Pruebe la sopa y rectifique la sazón. Usando un cucharón pase a tazones precalentados, cubra con las tiras de tortilla y sirva de inmediato. Pase el aguacate, jitomates y queso a la mesa.

Los chiles chipotles en adobo proveen carácter a diferentes niveles en esta receta: los chiles añaden tonos ahumados y por supuesto picantes, mientras que la salsa de adobo deja una acidez dulce e incluso más sazón. La acidez de los tomates verdes balancea la de los chiles al añadir un deslumbrante y casi cítrico sabor. Cubiertos con sus acompañamientos en una amplia gama de colores y texturas, un tazón de esta sopa es un apetitoso platillo.

En un gumbo con acentos de comino, la dulzura de los pimientos rojos suple el sabor vegetal de los pimientos verdes entre la "trinidad" de verduras aromáticas. El chorizo con toques de páprika refuerza con su sazón carnoso y picante.

gumbo de **camarones** sazonados al comino y chorizo

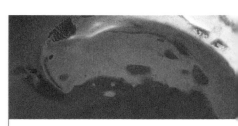

camarones pequeños con su piel, 700 g (1 ½ lb)

cubos de hielo, 1 ½ taza

cebolla amarilla, 2, finamente picadas

tallo de apio, 1, finamente picado

pimiento rojo, 1, sin semillas y finamente picado

ajo, 4 dientes, finamente picados

comino molido, 1 cucharada

pimienta de cayena, ⅛ cucharadita

aceite de canola, ½ taza

harina de trigo, ½ taza

hojas secas de laurel, 2

chorizo español, 500 g (1 lb), cortado en rebanadas de ½ cm (¼ in) de grueso

sal kosher y pimienta recién molida

cebollitas de cambray, 5, finamente rebanadas

perejil liso fresco, 3 cucharadas

RINDE DE 6 A 8 PORCIONES

Retire la piel de los camarones y desvene, colocando las cáscaras en una olla grande. Tape y refrigere los camarones hasta el momento de usar. Agregue 4 ½ tazas de agua a la olla con las cáscaras de camarones y lleve a ebullición sobre fuego alto. Cuando suelte el hervor reduzca el fuego a bajo y hierva a fuego lento cerca de 20 minutos, sin tapar, hasta que aromatice. Pase el caldo de camarón a través de un colador de malla fina colocado sobre un tazón, agregue los cubos de hielo, mezcle para derretir los hielos y enfriar el caldo y reserve. Deseche las cáscaras de camarón.

En un tazón mezcle las cebollas con el apio, pimiento, ajo, comino y pimienta de cayena; mezcle hasta integrar por completo.

En una olla de hierro fundido u otra olla gruesa con tapa sobre fuego medio caliente el aceite. Agregue la harina poco a poco, moviendo continuamente con una cuchara de madera para deshacer cualquier grumo. Cocine cerca de 20 minutos moviendo continuamente y teniendo cuidado de llegar hasta las orillas de la olla, hasta que la mezcla, llamada ahora roux, tome un color dorado. (Si el roux empieza a humear, retire la olla del fuego por un momento para dejarla enfriar ligeramente.)

Añada la mezcla de vegetales al roux y cocine cerca de 7 minutos, moviendo a menudo, hasta que los vegetales estén suaves. Agregue el caldo de camarón en hilo lento y continuo mientras mueve vigorosamente. Aumente el fuego a alto y lleve a ebullición. Cuando suelte el hervor reduzca el fuego a medio-bajo. Añada las hojas de laurel y hierva a fuego lento durante 20 minutos, retirando la espuma que suba a la superficie. Agregue el chorizo y deje hervir lentamente cerca de 20 minutos más, retirando la espuma que suba a la superficie, hasta que se mezclen los sabores. Añada los camarones y deje hervir lentamente cerca de 4 minutos, hasta que estén completamente opacos.

Retire del fuego y retire y deseche las hojas de laurel. Añada 1 ½ cucharadita de sal, pimienta al gusto, la mitad de las cebollitas y el perejil y mezcle. Usando un cucharón pase el gumbo a tazones calientes, decore con las cebollitas restantes y sirva de inmediato.

El roux oscuro, una mezcla sencilla de aceite y harina cocida hasta oscurecer y obtener un color tan oscuro como la nuez y el olor de una rebanada de pan integral tostado, es la base de sabor y el espesante tradicional para el gumbo. Infunde completamente a la olla con su esencia profunda tostada, logrando la primera capa o fundamento para el comino natural, el sazonado chorizo y los dulces camarones que se presentan como la estrella principal en este platillo de influencia del sur de los Estados Unidos.

sopa de **pavo** sazonado y **arroz jazmín** con lemongrass

El lemongrass tiene un sabor cítrico, sin la acidez del limón, ligeramente herbal y posee un crujiente y refrescante aroma. La aromática hierba proporciona un nuevo brillo a esta sopa casera de pavo que también recibe vigor con el jengibre, ajo, chiles picantes y el arroz jazmín.

Desprenda y deseche las capas exteriores secas de los tallos de lemongrass. Utilizando un cuchillo para chef corte la parte superior de los tallos en donde empiezan a endurecer y deseche. Golpee los tallos con el lado plano del cuchillo y pique finamente. Pele el jengibre, corte en 4 rebanadas iguales y presione cada pieza con la parte plana del cuchillo. Retire las semillas de 2 de los chiles serranos y pique finamente; pique el chile restante transversalmente en aros muy delgados y reserve.

En una olla de hierro fundido u otra olla gruesa con tapa sobre fuego medio caliente el aceite. Añada la cebolla y saltee cerca de 5 minutos, hasta suavizar. Incorpore el ajo, los chiles picados y el lemongrass y cocine cerca de 45 segundos, hasta que aromatice. Aumente el fuego a alto, agregue el jengibre, zanahorias, caldo de pavo y vino y lleve a ebullición. Incorpore el arroz, la carne de pavo deshebrada, 2 cucharaditas de sal y pimienta al gusto; reduzca el fuego a bajo y deje hervir lentamente cerca de 15 minutos, hasta que el arroz esté suave. Retire y deseche los trozos de jengibre.

Pruebe la sopa y rectifique la sazón. Usando un cucharón pase la sopa a tazones precalentados, decore con las rebanadas de chile reservadas y sirva de inmediato.

lemongrass fresco, 4 tallos

jengibre fresco, 1 trozo de 2 ½ cm (1 in)

chiles serranos, 3

aceite de canola, 2 cucharaditas

cebolla amarilla, 1, finamente picada

ajo, 3 dientes, finamente picados

zanahorias, 3, sin piel y finamente rebanadas

caldo de pavo (página 143), 8 tazas, más la carne usada para preparar el caldo, deshebrada

vino blanco seco, 1 taza

arroz jazmín crudo, ³/₄ taza

sal kosher y pimienta recién molida

RINDE DE 6 A 8 PORCIONES

sopa de betabel dorado con crema de queso de cabra al eneldo

betabeles dorados, 5 (1 kg/ 2 ½ lb en total), sin las partes verdes

papa yukon dorada, 1

queso de cabra fresco, 100 g (¼ lb), desmoronado

media crema, ¾ taza más la necesaria

jugo de limón fresco, ½ cucharadita

eneldo fresco, 3 cucharadas, finamente picado, más las hojas para decorar

sal kosher y pimienta recién molida

mantequilla sin sal, 2 cucharadas

cebolla amarilla, 1, picada

ajo, 2 dientes, finamente picados

caldo de pollo (página 142) o consomé de pollo bajo en sodio, 6 tazas

vinagre de vino blanco, 1 cucharadita

azúcar, 1 pizca

RINDE DE 6 A 8 PORCIONES

Precaliente el horno a 200°C (400°F). Envuelva los betabeles y la papa juntos en una hoja grande de papel aluminio y coloque en una charola para hornear con bordes. Ase cerca de una hora, hasta que los vegetales se sientan suaves al picarlos con la punta de un cuchillo mondador. Abra el papel y deje enfriar.

Mientras tanto, en un tazón pequeño mezcle el queso de cabra con ¼ taza de la media crema, el jugo de limón, eneldo picado, ¼ cucharadita de sal y pimienta al gusto. Utilizando un tenedor bata vigorosamente los ingredientes hasta integrar por completo y obtener una mezcla espesa pero que se pueda verter (la textura deberá ser similar al yogurt de leche entera). Ajuste la consistencia si fuera necesario agregando más media crema.

Desprenda las pieles de los betabeles y la papa y pique ambos

En una olla de hierro fundido u olla gruesa con tapa sobre fuego medio derrita la mantequilla. Añada la cebolla y saltee cerca de 5 minutos, hasta suavizar. Agregue el ajo y cocine cerca de 45 segundos, hasta que aromatice. Añada el caldo. Aumente el fuego a medio-alto y lleve a ebullición. Agregue los betabeles picados y la papa, reduzca el fuego a bajo, tape parcialmente y cocine cerca 15 minutos para mezclar los sabores.

Trabajando en tandas, pase la mezcla a una licuadora y procese hasta obtener un puré terso. Pase el puré a una olla limpia. Añada el vinagre, 1 ½ cucharadita de sal, pimienta al gusto y la ½ taza restante de media crema y mezcle hasta integrar. Coloque sobre fuego medio-bajo y cocine con cuidado cerca de 10 minutos, moviendo ocasionalmente, hasta que se haya calentado por completo.

Pruebe la sopa y rectifique la sazón añadiendo el azúcar si lo desea. Usando un cucharón pase a tazones precalentados, decore cada servicio con una cucharada de la crema de queso de cabra y unas hojas de eneldo y sirva de inmediato.

Con el matiz distintivo de la alcaravea y el sabor a apio, el emplumado eneldo complementa tanto a los betabeles naturales como al ácido queso de cabra fresco. Los betabeles dorados son tan dulces como sus parientes de color carmesí, pero tienen un sabor más suave y fino que es el secreto de esta satinada sopa.

Las diminutas lentejas de color verde tienen un sabor natural propio. Toman una nota dulce cuando se saltean con el trío aromático de cebolla, zanahoria y apio. Las hojas con olanes de las acelgas dan un toque de sabor vegetal y mineral a una sopa de lenteja con abundancia de sabores.

sopa de lenteja y acelgas con jamón serrano y páprika ahumada

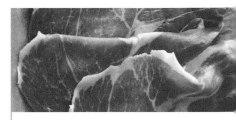

lentejas francesas verdes,
1 taza

jamón serrano finamente rebanado, 100 g (¼ lb)

aceite de oliva extra virgen, 3 cucharadas

cebolla amarilla, 1 grande, finamente picada

zanahorias, 2, sin piel y finamente picadas

tallo de apio, 1, finamente picado

ajo, 3 dientes, finamente picados

páprika ahumada, 2 cucharaditas

jitomates en cubos, 1 lata de 410 g (14 ½ oz)

vino tinto seco, ½ taza

caldo de pollo (página 142) o consomé de pollo bajo en sodio, 6 tazas

tomillo fresco, 2 ramas

hoja de laurel, 1

acelga, ½ manojo

sal kosher y pimienta recién molida

RINDE DE 6 A 8 PORCIONES

Revise las lentejas y deseche las piedras, arenillas o lentejas descoloridas y enjuague perfectamente bajo el chorro de agua. Pique el jamón en listones delgados.

En una olla de hierro fundido u olla gruesa con tapa sobre fuego medio caliente el aceite de oliva. Añada la cebolla, zanahoria y apio; saltee cerca de 10 minutos, hasta que los vegetales se doren y estén suaves. Agregue dos terceras partes del jamón, ajo y páprika ahumada y saltee cerca de un minuto, hasta que aromatice. Añada los jitomates con su jugo, el vino y las lentejas y cocine cerca de 5 minutos, hasta que algo de humedad evapore y las lentejas oscurezcan ligeramente. Añada el caldo, ramas de tomillo y hoja de laurel. Aumente el fuego a alto y lleve a ebullición. Cuando suelte el hervor reduzca el fuego a bajo, tape parcialmente y hierva a fuego lento cerca de 30 minutos, moviendo de vez en cuando, hasta que las lentejas estén suaves. Retire y deseche las ramas de tomillo y la hoja de laurel.

Pique los tallos de las acelgas transversalmente en trozos de 2 ½ cm (1 in) y las hojas transversalmente en tiras de 2 ½ cm (1 in). Añada los tallos de las acelgas a la olla junto con 1 ¼ cucharadita de sal y pimienta al gusto. Aumente el fuego a medio y cocine cerca de 5 minutos, moviendo ocasionalmente, hasta que los trozos de acelga estén suaves pero crujientes. Integre las hojas de las acelgas y cocine 3 minutos más, hasta que se marchiten y suavicen.

Pruebe la sopa y rectifique la sazón. Usando un cucharón pase a tazones precalentados, decore con el jamón restante y sirva de inmediato.

El jamón serrano brinda un rico sabor de carne a esta rústica sopa de influencia española mientras que la páprika ahumada da su soporte natural y un sutil sabor ahumado. Las lentejas y las acelgas añaden cuerpo y textura; los jitomates y el vino tinto acogen la acidez que hace resplandecer los sabores profundos y sustanciosos de esta sopa.

caldo miso con camarones, tofu y hongos shiitake

El miso blanco es salado, fuerte y potente pero también tiene un matiz dulce. En esta sopa, la naturaleza sazonada del miso subraya la carnosidad de los hongos shiitake secos, mientras que el lado dulce de la pasta destaca el delicado sabor de los camarones.

En un tazón con 1 ½ taza de agua caliente remoje los hongos cerca de 30 minutos, hasta que se suavicen. Retire los hongos, corte y deseche los tallos y rebane los botones finamente. Deseche el líquido de remojo. Seque suavemente el tofu con toallas de papel y pique en cubos de 1 cm (½ in). Divida los hongos rebanados y los cubos de tofu uniformemente entre 6 u 8 tazones.

En una olla mezcle el alga *kombu* con 8 tazas de agua y caliente sobre fuego medio; no permita que hierva. Apenas el líquido empiece a formar pequeñas burbujas, retire y deseche el *kombu*. Agregue las hojuelas de bonito y mezcle para distribuir. Retire del fuego y deje reposar cerca de 5 minutos, tapado, hasta que las hojuelas de bonito lleguen al fondo de la olla y el caldo aromatice.

Cuele el caldo a través de un colador de malla fina colocado sobre un tazón refractario. Deseche las hojuelas de bonito. Regrese el caldo a la olla y lleve a ebullición sobre fuego medio. Cuando suelte el hervor agregue los camarones, reduzca el fuego a bajo y deje hervir a fuego lento de 3 a 5 minutos, hasta que estén completamente opacos.

Usando una cuchara ranurada distribuya los camarones uniformemente sobre los tazones. Pase una taza de caldo a un tazón refractario, agregue el miso y bata hasta combinar. Vierta la mezcla de miso una vez más hacia la olla y mezcle para integrar. Aumente el fuego a medio y deje hervir lentamente. Usando un cucharón pase el caldo de miso caliente a los tazones, decore con las cebollitas de cambray y sirva de inmediato.

hongos shiitake secos, 12

tofu firme o extra firme, 200 g (7 oz)

alga kombu, 2 cuadros de 10 cm (4 in)

hojuelas de bonito, 1 ½ taza ligeramente compacta

camarones medianos, 700 g (1 ½ lb), sin piel y desvenados

miso blanco, ⅔ taza

cebollitas de cambray, 4, finamente rebanadas

RINDE DE 6 A 8 PORCIONES

sopa de castaña y raíz de apio con crutones de salvia y tocino

pan tipo francés o italiano de buena calidad, ½ barra de 500 g (1 lb)

mantequilla sin sal, 2 cucharadas

aceite de oliva, 2 cucharadas

ajo, 2 dientes, machacados

salvia fresca, 4 cucharaditas, picada

sal kosher y pimienta recién molida

tocino, 6 rebanadas

cebolla amarilla, 1, picada

tallos de apio, 3, picados

semillas de apio, ¼ cucharadita

caldo de pollo (página 142) o consomé de pollo bajo en sodio, 6 tazas

apio nabo, 1 (aproximadamente 500 g/ 1 lb), sin piel y picado

castañas compradas cocidas al vapor y sin piel, 1 frasco (400 g/15 oz)

media crema, ½ taza

RINDE DE 6 A 8 PORCIONES

Retire y deseche las cortezas del pan. Rebane el pan en cubos de 1 cm (½ in); usted deberá tener 4 tazas de cubos de pan.

En una sartén grande sobre fuego medio-bajo derrita una cucharada de la mantequilla con el aceite de oliva. Añada el ajo y la mitad de la salvia; cocine cerca de 5 minutos, hasta que el ajo esté ligeramente dorado. Retire y deseche el ajo. Aumente el fuego a medio, añada ¼ cucharadita de sal y los cubos de pan y mezcle para cubrir los cubos con el aceite sazonado. Cocine de 10 a 12 minutos, moviendo y cubriendo a menudo, hasta que los crutones estén tostados y crujientes.

En una olla de hierro fundido u olla gruesa con tapa sobre fuego medio cocine el tocino cerca de 8 minutos, hasta que esté crujiente. Pase a un plato forrado con toallas de papel. Reserve 2 cucharadas de grasa en la olla y deseche el restante. Regrese la olla a fuego medio. Agregue la cucharada restante de mantequilla, la cebolla y el apio y saltee cerca de 7 minutos, hasta suavizar. Añada las semillas de apio y cocine cerca de un minuto, moviendo con frecuencia, hasta que aromatice. Integre el caldo, aumente el fuego a medio-alto y lleve a ebullición. Agregue el apio nabo y las castañas. Vuelva a hervir, reduzca el fuego a bajo, tape parcialmente y hierva a fuego lento cerca de 25 minutos, hasta que el apio nabo se sienta suave al picarlo con la punta de un cuchillo. Mientras tanto, desmorone el tocino y reserve.

Trabajando en tandas, pase la mezcla a una licuadora y muela hasta obtener un puré terso. Vierta el puré hacia una olla limpia. Añada la media crema, 1 ½ cucharadita de sal y pimienta al gusto y coloque sobre fuego medio-bajo. Cocine suavemente cerca de 10 minutos, moviendo de vez en cuando, hasta que esté caliente.

Pruebe la sopa y rectifique la sazón. Usando un cucharón pase a tazones precalentados, decore con el tocino, crutones y la salvia restante. Sirva de inmediato.

La salvia fresca tiene un toque amargo y un firme sabor a madera. En esta receta únicamente se usa para decorar esta suntuosa sopa otoñal. En vez de ser el sabor predominante se convierte en un sabor equilibrado por la tenue dulzura de las castañas y el apio nabo y el sabor salado del tocino desmoronado sobre ella.

En una rica y sedosa sopa de inspiración hindú, el sabor ligero de la coliflor se transforma de lo común a lo maravillosamente exótico. El jengibre fresco, vibrante y sazonado con toques cítricos y apimentados, proporciona al platillo su encanto y un aroma cálido y tentador.

mulligatawny de coliflor

coliflor, 1 cabeza
(aproximadamente 1 kg/2 lb)

manzana granny smith, 1
grande

mantequilla sin sal, 2
cucharadas

cebolla amarilla, 2, picadas

zanahorias, 3, sin piel y
picadas

ajo, 3 dientes, finamente
picados

jengibre fresco, 1 pieza de
5 cm (2 in), sin piel y
finamente picado

curry en polvo, 1 ½ cucharada

comino molido, 1 cucharadita

**caldo de pollo (página 142) o
consomé de pollo bajo en
sodio,** 6 tazas

leche de coco sin endulzar, 1
lata (400 g/14 oz)

coco rallado sin endulzar,
½ taza, tostado (página 145)

**sal kosher y pimienta recién
molida**

hojas de cilantro fresco,
¼ taza

RINDE DE 6 A 8 PORCIONES

Retire y deseche las hojas de la coliflor, rompa en trozos de un bocado y
reserve. Pique la manzana en cuartos, retire el corazón y deseche. Pique tres
de los cuartos de manzana y reserve el cuarto, reserve.

En una olla de hierro fundido u olla gruesa con tapa sobre fuego medio
derrita la mantequilla. Añada la cebolla y las zanahorias y saltee cerca de 6
minutos, hasta suavizar. Integre dos terceras partes del ajo y del jengibre;
cocine cerca de 45 segundos, hasta que aromatice. Añada el curry y el comino
y cocine cerca de un minuto, moviendo continuamente, hasta que aromatice.
Reduzca el fuego a bajo, tape y cocine cerca de 7 minutos, hasta que las
verduras hayan soltado un poco de su humedad y estén muy suaves. Agregue
el caldo y la leche de coco. Aumente el fuego a alto y deje hervir. Añada la
coliflor, manzana picada y la mitad del coco tostado; regrese a ebullición,
reduzca el fuego a bajo, tape parcialmente y deje hervir lentamente cerca de
30 minutos, hasta que la coliflor esté muy suave.

Agregue a la olla el ajo y el jengibre restantes y mezcle hasta integrar por
completo. Trabajando en tandas, pase la mezcla a una licuadora y muela
hasta obtener un puré terso. Vierta el puré hacia una olla limpia. Añada 1 ½
cucharadita de sal y pimienta al gusto. Coloque sobre fuego medio-bajo.
Cocine lentamente cerca de 10 minutos, moviendo de vez en cuando, hasta
que esté completamente caliente. Mientras tanto, corte el cuarto de
manzana reservado en tiras finas.

Pruebe la sopa y rectifique la sazón. Usando un cucharón pase a tazones
precalentados, decore con el coco restante, las tiras de manzana y las hojas
de cilantro. Sirva de inmediato.

*Dorado, fuerte y con
especias cálidas, el curry
en polvo añade un aroma
embriagador y un exuberante
sabor a esta sencilla pero
deliciosa sopa. La rica
leche de coco y la ácida
manzana contrarrestan el
sabor picante del curry así
como el toque fuerte del
jengibre y el ajo.*

invierno

sopa de **col rizada** y camote asado con salchichas de cordero

camotes, 3 (aproximadamente 1 kg/2 lb en total)

aceite de oliva, 2 cucharadas

sal kosher y pimienta recién molida

salchichas de cordero, como la merguez, 230 g (½ lb)

cebolla amarilla, 1 grande, finamente picada

ajo, 4 dientes, finamente picados

tomillo fresco, 2 cucharaditas, finamente picado

caldo de pollo (página 142) o consomé de pollo bajo en sodio, 8 tazas

papa roja, 1 grande, sin piel y picada en trozos de 2 cm (³/4 in)

col rizada, 1 manojo pequeño (aproximadamente 500 g/1 lb)

perejil liso fresco, 3 cucharadas, picado (opcional)

RINDE DE 6 A 8 PORCIONES

Precaliente el horno a 230°C (450°F). Cubra una charola para hornear con bordes con papel aluminio. Pique los camotes en rebanadas de aproximadamente 2 ½ cm (1 in) y después corte cada rebanada transversalmente en trozos de aproximadamente 4 cm (1 ½ in) de largo. En un tazón grande mezcle los camotes con 1 ½ cucharada de aceite de oliva y sal y pimienta al gusto; mezcle a cubrir. Extienda en una sola capa sobre la charola preparada y ase cerca de 20 minutos, hasta que estén ligeramente suaves (la punta de un cuchillo mondador entrará con dificultad en los trozos).

En una olla de hierro fundido grande o una olla gruesa con tapa sobre fuego medio, caliente la ½ cucharada restante de aceite de oliva. Añada las salchichas y cocine cerca de 8 minutos, volteando ocasionalmente, hasta que estén doradas por todos lados. Pase a un plato cubierto con toallas de papel para escurrir. Agregue la cebolla a la olla y saltee cerca de 5 minutos, hasta suavizar. Incorpore el ajo y el tomillo; cocine cerca de 45 segundos, hasta que aromatice. Añada 3 tazas del caldo, aumente el fuego a alto y lleve a ebullición, use una cuchara de madera para raspar los trozos pequeños pegados en el fondo de la olla. Añada la papa roja, tape y cocine cerca de 25 minutos, hasta que la papa esté muy suave. Mientras tanto, corte las salchichas en rebanadas de 1 cm (½ in) de grueso. Corte y deseche los tallos de la col rizada y corte las hojas transversalmente en trozos de ½ cm (¼ in).

Usando una cuchara de madera machaque los cubos de papa en contra de la orilla de la olla, incorpórelos a la sopa hasta que la sopa espese ligeramente. Añada la salchicha y las 5 tazas restantes de caldo; lleve a ebullición. Reduzca el fuego a bajo y deje hervir cerca de 10 minutos para mezclar los sabores. Aumente el fuego a medio, añada 2 cucharaditas de sal, pimienta al gusto, los camotes asados y la col, empujando las verduras para sumergirlas en el líquido. Cocine cerca de 8 minutos, moviendo continuamente, hasta que la col esté suave.

Pruebe la sopa y rectifique la sazón. Usando un cucharón pase a tazones precalentados, decore con el perejil, si lo usa, y sirva de inmediato.

Originarias del norte de África, las salchichas merguez, por lo general, están hechas de carne de cordero, el cual les da un distintivo sabor a carne. Además de su delicioso sabor tienen especias rojas fuertes como la páprika, pimienta de cayena y otros chiles. En esta receta los camotes y la col son buenos acompañantes para las salchichas sazonadas.

sopa de frijol pinto con chile jalapeño tostado y ajo

Al tostar los chiles frescos y el ajo sobre la estufa hasta que se chamusquen y ampollen, profundiza y suaviza sus fuertes sabores, resaltando su dulzura y añadiendo un fascinante sabor ahumado. Estos ingredientes junto con el carnoso hueso del jamón, las especias con un dejo de almizcle y la acidez del limón, proporcionan a esta sopa de estilo mexicano un sabor atrevido.

En una olla grande sobre fuego medio-alto mezcle el caldo con el hueso de jamón y lleve a ebullición. Reduzca el fuego a bajo, tape y deje hervir lentamente cerca de una hora, hasta que el caldo humee y aromatice. Deseche el hueso.

En una sartén pequeña sobre fuego medio mezcle los jalapeños con los dientes de ajo. Tueste cerca de 15 minutos, mezclando ocasionalmente, hasta que aparezcan puntos dorados por todos lados. Pase a una tabla para picar y deje enfriar. Retire las semillas y pique 4 de los chiles. Corte los 2 chiles restantes en anillos, retirando las semillas si lo desea; reserve los chiles picados y los anillos por separado. Pique el ajo y reserve.

En una olla de hierro fundido grande o una olla gruesa con tapa sobre fuego medio, caliente el aceite de oliva. Añada la cebolla y las zanahorias y saltee cerca de 6 minutos, hasta suavizar. Incorpore los chiles picados, el ajo, orégano, comino, semillas de cilantro y chili en polvo; cocine cerca de 2 minutos, hasta que aromatice. Agregue el caldo de jamón, los jitomates con su jugo y los frijoles cocidos. Aumente el fuego a alto y lleve a ebullición. Cuando suelte el hervor reduzca el fuego a bajo y deje hervir lentamente cerca de 20 minutos para mezclar los sabores.

Pase la mitad de la mezcla a una licuadora y muela hasta obtener un puré terso. Pase el puré a la olla con la mezcla sin hacer puré. Agregue el jugo de limón, 2 ½ cucharaditas de sal y pimienta al gusto; mezcle hasta integrar por completo y coloque sobre fuego medio-bajo. Cocine a fuego lento cerca de 10 minutos, moviendo ocasionalmente, hasta que esté caliente.

Pruebe la sopa y rectifique la sazón. Usando un cucharón pase a tazones precalentados y decore cada servicio con una cucharada de crema ácida, unos cuantos anillos de chiles tostados y algunas hojas de cilantro. Sirva de inmediato.

caldo de pollo (página 142) o consomé de pollo bajo en sodio, 6 tazas

hueso de la pierna de jamón ahumado, 1

chiles jalapeños, 6

ajo, 4 dientes, sin piel

aceite de oliva, 2 cucharadas

cebollas amarillas, 2, finamente picadas

zanahorias, 2, sin piel y finamente picadas

orégano seco y comino molido, 1 ½ cucharadita de cada uno

semillas de comino molidas y chili en polvo, ¾ cucharadita de cada uno

jitomates en cubos, 1 lata (400g/14 ½ oz) con su jugo

frijol pinto seco, 340 g (¾ lb), cocido y escurrido (página 145)

jugo de limón fresco, ¼ taza

sal kosher y pimienta recién molida

crema ácida, 1 taza

hojas de cilantro fresco, ⅓ taza

RINDE DE 6 A 8 PORCIONES

El tradicional queso chedddar inglés es el ingrediente estrella en esta original sopa que presenta una deliciosa combinación de fruta y queso. El delicioso y fuerte sabor del queso cheddar se balancea con la afrutada y fresca sidra de manzana. Al esparcir anillos dorados de chalote frito hace que la sopa sea aún más memorable.

sopa de **queso cheddar y sidra** con chalotes fritos

Las hojas de laurel son sorprendentes por su habilidad para infundir los alimentos con varias capas aromáticas de sabor, toques de pimienta, pino, canela e incluso flores. Su delicadeza puede ser difícil de alcanzar pero en esta aterciopelada sopa las hojas de laurel añaden una gran gama de sabores que empalman todos los elementos.

En una olla de hierro fundido grande o una olla gruesa con tapa sobre fuego medio-alto, derrita 3 cucharadas de mantequilla. Agregue la cebolla, apio, papa y ajo; mezcle hasta integrar por completo. Reduzca el fuego a bajo, tape y cocine cerca de 12 minutos, moviendo ocasionalmente, hasta que las verduras estén suaves. Espolvoree la harina sobre las verduras y cocine, moviendo constantemente, hasta que la harina se incorpore. Moviendo constantemente añada el caldo, la sidra y la media crema, poco a poco. Aumente el fuego a medio-alto, añada las hojas de laurel y ramas de tomillo y lleve a ebullición. Cuando suelte el hervor reduzca el fuego a bajo y cocine lentamente cerca de 10 minutos para mezclar los sabores.

Mientras tanto, en una sartén pequeña sobre fuego medio-alto derrita la cucharada restante de mantequilla con el aceite. Añada los chalotes y ¼ cucharadita de sal y cocine cerca de 8 minutos, moviendo constantemente, hasta que los chalotes estén dorados. Usando una cuchara ranurada pase los chalotes a un plato cubierto con toallas de papel para escurrir.

Retire y deseche las hojas de laurel y las ramas de tomillo de la sopa. Trabajando en tandas, pase la sopa a una licuadora y muela hasta obtener un puré terso. Vierta el puré hacia una olla limpia. Agregue el calvados. Fuera del fuego agregue el queso, un puño a la vez, batiendo constantemente. Continúe batiendo hasta que el queso se haya derretido. Coloque sobre fuego medio-bajo, integre una cucharadita de sal y pimienta al gusto; cocine a fuego lento cerca de 10 minutos, moviendo continuamente, hasta que esté caliente.

Pruebe la sopa y rectifique la sazón. Usando un cucharón pase a tazones precalentados, decore con los chalotes fritos y sirva de inmediato.

mantequilla sin sal, 4 cucharadas

cebollas amarillas, 2, picadas

tallo de apio, 1, picado

papa yukon dorada, 1, sin piel y picada

ajo, 2 dientes, finamente picados

harina de trigo, 2 cucharadas

caldo de pollo (página 142) o consomé de pollo bajo en sodio, 2 ½ tazas

sidra de manzana, 2 ½ tazas

media crema, 1 taza

hojas secas de laurel, 2

tomillo fresco, 2 ramas

aceite de canola, 1 cucharada

chalotes, 3, finamente rebanados

sal kosher y pimienta recién molida

calvados (licor de manzana o applejack), 2 cucharadas

queso cheddar inglés, 340 g (³⁄₄ lb)

RINDE DE 6 A 8 PORCIONES

sopa de col napa con puerco, hongos y germinado de soya

jengibre fresco, 1 trozo de 10 cm (4 in)

caldo de pollo (página 142) o consomé de pollo bajo en sodio, 6 tazas

vino de arroz chino o jerez seco, ½ taza más 3 cucharadas

salsa de soya, 5 cucharadas

chuleta de puerco sin hueso, 230 g (½ lb), rebanada en tiras delgadas

hongos shiitake secos, 10

col napa, 1 cabeza (aproximadamente 70 g/ 2 ½ oz)

aceite de canola, 4 cucharaditas

ajo, 6 dientes, finamente picados

aceite de ajonjolí asiático, 2 cucharaditas

sal kosher

germinado de soya mung fresco, 1 ½ taza

aceite de chile asiático, para acompañar

cebollitas de cambray, 6, las partes superiores de color verde, finamente rebanadas

RINDE DE 6 A 8 PORCIONES

Pele el jengibre, pique finamente la mitad y reserve. Corte la otra mitad en 6 rebanadas iguales y presione cada pieza con la parte plana de un cuchillo para chef. En una olla grande mezcle el jengibre aplastado, el caldo y ½ taza del vino de arroz; lleve a ebullición sobre fuego alto. Cuando suelte el hervor retire del fuego, tape y deje reposar cerca de 30 minutos para mezclar los sabores. Usando una cuchara ranurada retire y deseche el jengibre aplastado.

En un tazón pequeño mezcle el jengibre picado con 3 cucharadas del vino de arroz, 2 cucharadas de salsa de soya y las tiras delgadas de carne. Deje reposar a temperatura ambiente durante 30 minutos. Mientras tanto, en un tazón remoje los hongos en una taza de agua caliente cerca de 30 minutos, hasta suavizar. Retire los hongos del agua, corte y deseche los tallos; pique los botones en cuartos y reserve. Pase el líquido de remojo a través de un colador de malla fina forrado con manta de cielo colocado sobre la olla. Separe las capas de hojas de la cabeza de col y pique las hojas transversalmente en trozos de 2 ½ cm (1 in).

En una sartén antiadherente grande sobre fuego alto caliente 2 cucharaditas de aceite de canola. Agregue las piezas de col y sofría durante un minuto. Incorpore el ajo y sofría cerca de 2 minutos más, hasta que la col esté suave pero crujiente; pase a la olla con el caldo. Añada a la sartén las 2 cucharaditas restantes de aceite de canola y caliente sobre fuego alto. Integre los hongos y la carne con su marinada y sofría cerca de 2 minutos, hasta que la carne esté opaca; pase a la olla con el caldo. Añada al caldo las 3 cucharadas restantes de salsa de soya, el aceite de ajonjolí y una cucharadita de sal. Lleve a ebullición sobre fuego alto. Cuando suelte el hervor reduzca el fuego a bajo, cubra parcialmente y deje hervir lentamente de 10 a 15 minutos, hasta que se mezclen los sabores.

Pruebe la sopa y rectifique la sazón. Usando un cucharón pase la sopa a tazones precalentados, decore cada porción con aproximadamente ¼ taza del germinado, un poco del aceite de chile y las partes verdes de las cebollitas de cambray. Sirva de inmediato.

Una vez hidratados los hongos shiitake secos toman una consistencia chiclosa casi carnosa y su agua de remojo queda infundida con un sabor ahumado a madera. Este líquido, usado como ingrediente en esta receta, brinda un platillo con más sabor natural de hongos. El caldo es una base sazonada para la col de sabor suave, el aceite de chile picante y el crujiente germinado de soya fresco.

Hay un sabor a mar en la carne hojaldrada y en los caparazones de las patas de los cangrejos rey. Ambos son usados para lograr un delicioso efecto en esta refinada bisque que reúne la dulzura suave del cangrejo con los chalotes caramelizados asados.

bisque de chalotes asados y cangrejo con jerez

chalotes, 500 g (1 lb), sin piel

aceite de oliva, 2 cucharadas

jitomates en cubos de lata con su jugo, ³/₄ taza

pimienta de cayena, 1 pizca

arroz blanco, ¹/₃ taza

caldo de cangrejo (página 143), 4 tazas, más la carne de cangrejo con la que se preparó el caldo, deshebrada

vino blanco seco, ¹/₂ taza

jerez seco, ¹/₃ taza

media crema, 1 taza

jugo de limón fresco, 1 cucharada

sal kosher y pimienta recién molida

cebollín fresco, ¹/₄ taza, cortado con tijeras

RINDE DE 6 A 8 PORCIONES

Precaliente el horno a 200°C (400°F). En un tazón mezcle los chalotes con una cucharada del aceite de oliva. Extienda en una sola capa sobre una charola para hornear con bordes y ase durante 20 minutos. Mezcle los chalotes y continúe asando cerca de 20 minutos más, hasta que estén suaves y dorados.

En una olla grande sobre fuego medio, caliente la cucharada restante de aceite de oliva. Añada dos terceras partes de los chalotes asados, los jitomates, la pimienta de cayena y el arroz; mezcle hasta integrar por completo. Agregue el caldo de cangrejo y el vino blanco. Aumente el fuego a alto y lleve a ebullición. Cuando suelte el hervor reduzca el fuego a bajo, tape y cocine lentamente cerca de 30 minutos, hasta que el arroz esté muy suave. Mientras tanto, pique finamente los chalotes asados restantes y reserve.

Trabajando en tandas, pase la base de la sopa a una licuadora y muela hasta obtener un puré terso. Vierta el puré hacia una olla limpia. Agregue los chalotes picados, la carne de cangrejo, jerez, media crema, jugo de limón, 2 ¼ cucharaditas de sal y pimienta al gusto. Coloque sobre fuego medio-bajo y cocine cerca de 10 minutos, moviendo ocasionalmente, hasta que esté caliente.

Pruebe la sopa y rectifique la sazón. Usando un cucharón pase a tazones precalentados, decore con el cebollín y sirva de inmediato.

El jerez seco, el vino representativo de España, alcanza una gama de matices de sabor incluyendo el roble, anuezado, caramelizado y refrescante. En esta satinada bisque, el jerez seco brinda un elegante trasfondo para los chalotes dulces asados y el delicado y salado sabor del cangrejo.

sopa de bok choy miniatura con tallarines y especias

El jengibre fresco, con su sabor apimentado, picante y con un ligero toque cítrico, vigoriza cualquier platillo al cual se le añada. Esta sencilla comida completa, servida en un tazón, toma su cálido sabor del jengibre, la canela y el anís estrella. El ajo y la pasta de chile brindan fuerza y las suaves rebanadas de carne de res y los tallarines añaden cuerpo.

Pele el jengibre, pique en rebanadas finas y aplaste cada pieza con la parte plana de un cuchillo para chef.

En una olla de hierro fundido u otra olla gruesa con tapa sobre fuego medio-alto caliente el aceite. Añada la cebolla y saltee cerca de 3 minutos, hasta suavizar. Agregue las rajas de canela y el anís estrella; cocine cerca de 2 minutos, moviendo constantemente, hasta que aromatice y las rajas de canela empiecen a abrirse. Añada el jengibre aplastado, ajo y pasta de chile y cocine cerca de 45 segundos, moviendo continuamente, hasta que aromatice. Agregue el caldo, salsa de soya y 4 ½ tazas de agua. Aumente el fuego a alto, tape y lleve a ebullición. Integre la carne de res rebanada y vuelva a hervir. Cuando suelte el hervor reduzca el fuego a bajo, tape parcialmente y deje hervir lentamente cerca de 1 ½ hora, hasta que la carne esté suave.

Mientras tanto, corte los tallos del bok choy y rebane cada cabeza longitudinalmente en cuartos.

En una olla grande sobre fuego alto lleve a ebullición 4 litros (4 qt) de agua. Integre una cucharada de sal y los tallarines, vuelva a hervir y cocine cerca de 3 minutos, hasta que los tallarines estén suaves. Escurra los tallarines, enjuague bajo el chorro de agua tibia y escurra una vez más. Divida los tallarines uniformemente entre 6 u 8 tazones.

Usando una cuchara ranurada retire las rajas de canela, anís estrella y jengibre del caldo y deseche. Añada el bok choy y cocine cerca de 5 minutos, hasta que esté suave pero crujiente. Agregue la mitad de las cebollitas y mezcle para integrar.

Pruebe la sopa y rectifique la sazón. Usando un cucharón pase a los tazones con los tallarines distribuyendo la carne y el bok choy uniformemente. Decore con las cebollitas restantes y sirva de inmediato.

jengibre fresco, 1 trozo de 10 cm (4 in)

aceite de canola, 2 cucharadas

cebolla amarilla, 1, finamente rebanada

rajas de canela, 4

anís estrella entera, 1

ajo, 5 dientes, machacados y finamente rebanados

pasta asiática de chile y ajo, 2 cucharaditas

caldo de pollo (página 142) o consomé de pollo bajo en sodio, 4 tazas

salsa de soya, ½ taza

espaldilla de res, 1 kg (2 lb), limpia y cortada en rebanadas de ½ cm (¼ in) de grueso

bok choy miniatura, 5 (aproximadamente 700 g/ 1 ½ lb en total)

sal kosher

tallarines chinos de trigo frescos, 700 g (1 ½ lb)

cebollitas de cambray, 4, finamente rebanadas

RINDE DE 6 A 8 PORCIONES

sopa de cordero con especias marroquíes y garbanzo

filete de pierna o espaldilla de cordero sin hueso, 700 g (1 ½ lb)

aceite de oliva, para dorar

cebollas amarillas, 2, finamente picadas

zanahorias, 3, sin piel y cortadas en rodajas de ½ cm (¼ in) de grueso

ajo, 3 dientes, finamente picados

rajas de canela, 2

páprika dulce, ¾ cucharadita

comino molido, ½ cucharadita

pimienta de cayena

caldo de pollo (página 142) o consomé de pollo bajo en sodio, 6 tazas

sal kosher y pimienta recién molida

garbanzos, 1 lata (820 g/29 oz)

jitomates en cubos, 1 lata (800 g/28 oz)

calabacitas, 2 pequeñas

cilantro fresco, 1 manojo

limón amarillo, ½

RINDE DE 6 A 8 PORCIONES

Retire el exceso de grasa del cordero y pique en trozos de 2 ½ cm (1 in). En una olla de hierro fundido grande u otra olla gruesa sobre fuego medio-alto caliente 2 cucharaditas del aceite de oliva. Trabajando en tandas para no sobre cargar la olla, dore el cordero por todos lados, cerca de 5 minutos por tanda; pase la carne dorada a un tazón grande. Añada más aceite de oliva a la olla si fuera necesario.

Cuando toda la carne esté dorada, agregue 2 cucharadas de aceite de oliva, las cebollas y zanahorias a la olla. Reduzca el fuego a medio y saltee cerca de 6 minutos, hasta que las verduras estén suaves. Agregue el ajo, rajas de canela, páprika, comino y una pizca grande de pimienta de cayena y cocine cerca de un minuto, moviendo constantemente, hasta que aromatice.

Añada el caldo, aumente el fuego a alto y use una cuchara de madera para raspar los trocitos dorados del fondo de la olla. Regrese a la olla el cordero dorado y su jugo acumulado. Incorpore una cucharadita de sal y otra de pimienta y lleve a ebullición. Cuando suelte el hervor reduzca el fuego a bajo y deje hervir lentamente cerca de 30 minutos, hasta que la carne empiece a estar suave.

Enjuague los garbanzos y escurra perfectamente. Agregue los garbanzos y los jitomates con su jugo a la olla y continúe hirviendo lentamente cerca de 25 minutos, hasta que el cordero esté sumamente suave.

Mientras tanto, corte las calabacitas longitudinalmente a la mitad y después corte cada mitad transversalmente en trozos de 1 cm (½ in) de grueso. Pique suficientes hojas de cilantro hasta reunir ½ taza. Exprima la mitad del limón y mida 2 cucharadas de jugo de limón. Agregue las calabacitas y la mitad del cilantro a la olla, mezcle hasta integrar y cocine cerca de 4 minutos, hasta que las calabacitas estén suaves. Incorpore el jugo de limón y retire y deseche las rajas de canela.

Pruebe la sopa y rectifique la sazón. Usando un cucharón pase a tazones precalentados, decore con el cilantro restante y sirva de inmediato.

La cálida, dulce y aromática canela no es de uso exclusivo para postres. En esta receta la cálida especia mezclada con el ajo, comino, páprika y pimienta de cayena sirve para sazonar un platillo rico en sabores, colores y texturas que captura el espíritu de la cocina exótica de Marruecos.

Al dorar profundamente los muslos de pollo se desarrolla una base sólida de sabor para una sopa sustanciosa, aromatizada con chiles naturales secos y ahumados. El cilantro fresco con su toque cítrico y herbal añade un deslumbrante contrapunto a la intensidad de la sopa.

sopa de pollo y maíz cacahuazintle con chile ancho

chiles anchos, 4 grandes, sin tallos ni semillas, troceados

agua hirviendo, 1 ²⁄₃ taza

muslos de pollo con piel y hueso, 700 g (1 ½ lb)

sal kosher y pimienta recién molida

aceite de canola, para dorar

cebolla amarilla, 2, finamente picadas

ajo, 4 dientes, picados

comino molido, 1 cucharada

orégano fresco, 1 cucharada, finamente picado

caldo de pollo (página 142) o consomé de pollo bajo en sodio, 6 tazas

jitomate en cubos, 1 lata (de 410 g/14 ½ oz)

maíz cacahuazintle, 2 latas (de 820 g/29 oz cada una), enjuagado y escurrido

hojas de cilantro fresco, ¼ taza

limón, 1, cortado en rebanadas

RINDE DE 6 A 8 PORCIONES

En un tazón refractario remoje los chiles en el agua hirviendo cerca de 25 minutos, hasta suavizar. Pase los chiles y el líquido de remojo a una licuadora y muela hasta obtener un puré. Cuele a través de un colador de malla fina, presionando los sólidos para retirar la mayor cantidad de líquido posible. Deseche los sólidos.

Sazone el pollo generosamente con sal y pimienta. En una olla de hierro fundido grande o una olla gruesa con tapa sobre fuego medio-alto caliente 2 cucharaditas del aceite. Trabajando en tandas para no sobre cargar la olla, coloque el pollo en la olla, con la piel hacia abajo, y cocine cerca de 5 minutos, hasta dorar. Voltee las piezas de pollo y cocine cerca de 5 minutos más, hasta dorar por el otro lado. Pase el pollo a un plato grande. Repita la operación con todas las piezas restantes añadiendo más aceite a la olla si fuera necesario. Retire y deseche la piel de las piezas de pollo.

Reserve una cucharada de grasa en la olla y deseche el resto. Coloque sobre fuego medio. Añada aproximadamente tres cuartas partes de la cebolla picada y saltee cerca de 5 minutos, hasta suavizar. Agregue el ajo, comino y orégano y cocine cerca de 45 segundos, hasta que aromatice. Aumente el fuego a alto, agregue el caldo y usando una cuchara de madera raspe los trocitos dorados del fondo de la olla. Añada el pollo y el jugo acumulado, los jitomates con su jugo y 1 ½ cucharadita de sal; lleve a ebullición. Cuando suelte el hervor reduzca el fuego a bajo, tape parcialmente y deje hervir a fuego lento cerca de 40 minutos, hasta que el pollo esté suave.

Pase el pollo a un tazón. Cuando esté lo suficientemente frío para poder tocarlo, deshebre el pollo y deseche los huesos. Incorpore a la olla el pollo deshebrado, maíz cacahuazintle y puré de chile. Hierva lentamente cerca de 15 minutos, hasta que se mezclen los sabores.

Pruebe la sopa y rectifique la sazón. Incorpore el cilantro. Usando un cucharón pase a tazones precalentados y decore cada porción con un poco de la cebolla picada restante y una rebanada de limón. Sirva de inmediato.

Los chiles anchos tienen poco picante pero son ricos en sabores de uvas pasas, cuero, tabaco e incluso cocoa que los caracteriza por su increíble complejidad. Complementados con el comino y el orégano, los chiles anchos proporcionan un exquisito y profundo sabor a esta sustanciosa sopa, convirtiéndola en una versión original para el tradicional pozole mexicano. El maíz cacahuazintle de sabor suave balancea los sabores robustos y el cilantro y el limón le dan un toque final primaveral.

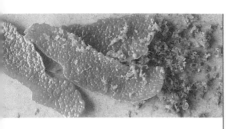

guisado de res con ralladura de naranja y aceitunas negras

La verdadera esencia de una naranja no reside en su jugo sino en el aceite que se encuentra en la piel de la fruta o en su ralladura. Las tiras de piel de la naranja, al igual que su ralladura, infunden su aroma floral y su acidez cítrica a este braseado de inspiración provenzal, logrando un equilibrio entre la riqueza de la carne de res y la acidez de las aceitunas.

Retire el exceso de grasa de la carne de res y pique en trozos de 4 cm (1 ½ in). En un tazón mezcle la harina, 2 cucharaditas de sal y una cucharadita de pimienta. Agregue la carne y mezcle hasta cubrir. En una olla de hierro fundido grande u otra olla gruesa con tapa sobre fuego medio-alto caliente una cucharada del aceite de oliva. Añada la mitad de los trozos de carne de res, acomodando en una sola capa. Cocine cerca de 4 minutos, sin mover, hasta dorar. Voltee las piezas de carne y cocine cerca de 4 minutos más, sin mover, hasta dorar por el segundo lado. Pase a un tazón. Agregue una cucharada de aceite de oliva a la olla y repita la operación con la carne restante. Limpie la olla y reserve.

Utilizando un pelador de verduras retire la ralladura de la mitad de la naranja en tiras largas. Prepare ralladura fina de la mitad de la naranja restante. Reserve las tiras de ralladura y la ralladura por separado.

Agregue a la olla la cucharada restante de aceite de oliva y caliente sobre fuego medio. Añada las cebollas y saltee cerca de 2 minutos, hasta que empiecen a suavizarse. Agregue el ajo, tiras de ralladura de naranja, tomillo y semillas de hinojo; saltee cerca de 45 segundos, hasta que aromatice. Añada el vino, suba el fuego a alto y lleve a ebullición, use una cuchara de madera para raspar los trozos pequeños del fondo de la olla. Cocine cerca de 4 minutos, hasta que se reduzca a la mitad. Incorpore el caldo y los jitomates. Añada la carne dorada con los jugos acumulados. Lleve a ebullición, reduzca el fuego a bajo, tape y deje hervir lentamente cerca de 2 ½ horas, hasta que la carne esté suave.

Agregue a la olla las zanahorias y aceitunas empujándolas hacia abajo en el líquido. Aumente el fuego a medio, tape y cocine cerca de 8 minutos, hasta que las zanahorias estén suaves. Añada la ralladura de naranja y el perejil.

Pruebe el guisado y rectifique la sazón. Usando un cucharón pase a tazones precalentados y sirva de inmediato.

trozo de espaldilla de res, 1 ½ kg (3 lb)

harina de trigo, 2 cucharadas

sal kosher y pimienta recién molida

aceite de oliva, 3 cucharadas

naranja, 1

cebollas amarillas, 2, picadas

ajo, 3 dientes, picados

tomillo fresco, 2 cucharaditas, finamente picado

semillas de hinojo, 1 ³/₄ cucharadas, machacadas

vino tinto seco, ³/₄ taza

caldo de pollo (página 142) o consomé de pollo bajo en sodio, ³/₄ taza

jitomates en cubos de lata con su jugo, 1 taza

zanahorias, 4, sin piel y picadas en rodajas de ¹/₂ cm (¹/₄ in) de grueso

aceitunas kalamata, 1 ¹/₂ taza, sin hueso y partidas a la mitad

perejil liso fresco, ¹/₂ taza, finamente picado

RINDE DE 6 A 8 PORCIONES

sopa de lenteja con pavo ahumado y miel de balsámico

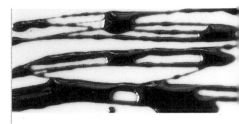

muslo de pavo ahumado, 1
(aproximadamente 340 g/
³/₄ lb)

**caldo de pollo (página 142) o
consomé bajo en sodio, 8**
tazas

hojas secas de laurel, 3

lentejas secas, 500 g (1 lb)

tomillo fresco, 1 ½
cucharadita, finamente picado

papas rojas, 3
(aproximadamente 700 g/1 ½
lb en total), picadas en cubos de
1 cm (½ in)

mantequilla sin sal,
1 cucharada

aceite de canola, 1 cucharada

cebolla amarilla, 1 grande,
finamente picada

zanahorias, 3, sin piel y
finamente picadas

tallos de apio, 2, finamente
picados

**sal kosher y pimienta recién
molida**

vinagre balsámico, ³/₄ taza

RINDE DE 6 A 8 PORCIONES

En una olla de hierro fundido u otra olla gruesa con tapa sobre fuego medio-alto mezcle el muslo de pavo, caldo y hojas de laurel y lleve a ebullición. Cuando suelte el hervor reduzca el fuego a bajo, tape y dejar hervir lentamente cerca de una hora, hasta que el líquido humee y esté sazonado. Retire una taza del caldo de la olla y reserve; pase el pavo a un plato y deje enfriar. Cuando el pavo esté lo suficientemente frío para poder tocarlo, deshebre la carne en trozos del tamaño de un bocado y reserve. Deseche la piel y el hueso. Retire y deseche las hojas de laurel.

Revise las lentejas y deseche las piedras, arenillas o lentejas descoloridas, enjuague bajo el chorro de agua. Añada las lentejas y el tomillo al caldo, tape y lleve a ebullición sobre fuego alto. Cuando suelte el hervor reduzca el fuego a medio y deje hervir cerca de 15 minutos, hasta que las lentejas empiecen a suavizarse. Agregue las papas y siga hirviendo a fuego lento cerca de 15 minutos más, hasta que las lentejas y las papas estén muy suaves.

Mientras tanto, en una sartén grande sobre fuego medio-alto derrita la mantequilla con el aceite. Añada la cebolla, zanahorias y apio y saltee cerca de 12 minutos, hasta que las verduras se doren. Agregue a la olla las verduras y la carne de pavo deshebrada y hierva a fuego bajo cerca de 15 minutos más, moviendo ocasionalmente, hasta que algunas de las lentejas se desbaraten y empiecen a espesar la sopa. Incorpore ½ cucharadita de sal y pimienta al gusto.

Mientras la sopa hierve a fuego lento, hierva el vinagre balsámico en una olla pequeña sobre fuego medio-alto. Cocine cerca de 8 minutos, hasta que adquiera la consistencia de una miel y se haya reducido a la mitad.

Si la sopa parece demasiado espesa, ajuste la consistencia a su gusto con la taza de caldo reservado. Pruebe la sopa y rectifique la sazón. Usando un cucharón pase a tazones precalentados y decore cada porción con un chorrito de la miel de balsámico. Sirva de inmediato.

La fuerza del agridulce vinagre balsámico disminuye cuando se cocina hasta convertirse una oscura miel espesa. Un chorrito de la miel de balsámico captura el paladar al resaltar deliciosamente el sabor natural de la sencilla y ahumada sopa de lenteja seca.

Cuando las doradas peras asadas se espolvorean con romero, que proporciona aroma a bosque y a pino, de inmediato toman un dulce y sabroso sabor. Son un aderezo amantequillado para una sopa satinada y delicadamente dulce de calabaza butternut. Es sorprendente como se favorecen los sabores entre ellos.

sopa de calabaza butternut con peras asadas y romero

calabaza butternut, 1 (aproximadamente 1 ¼ kg/ 3 lb)

mantequilla sin sal, 2 cucharadas

aceite de canola, 1 cucharada

cebolla amarilla, 1, finamente picada

caldo de pollo (página 142) o consomé de pollo bajo en sodio, 6 tazas

romero fresco, 1 rama más 1 cucharadita, finamente picado

peras anjou o barlett maduras pero firmes, 3 grandes

azúcar mascabado claro, 4 cucharaditas compactas

media crema, ½ taza

sal kosher y pimienta reclén molida

RINDE DE 6 A 8 PORCIONES

Pele la calabaza, parta longitudinalmente a la mitad y con ayuda de una cuchara retire las semillas. Corte cada mitad transversalmente en rebanadas de ½ cm (¼ in) de grueso.

En una olla de hierro fundido u otra olla gruesa con tapa sobre fuego medio-alto derrita una cucharada de mantequilla con el aceite. Añada la cebolla y saltee cerca de 7 minutos, hasta que esté suave y empiece a dorarse. Agregue las rebanadas de calabaza, el caldo y la rama de romero. Aumente el fuego a alto y lleve a ebullición. Cuando suelte el hervor reduzca el fuego a medio bajo, tape parcialmente y deje hervir a fuego lento cerca de 20 minutos, hasta que la calabaza esté suave.

Mientras tanto, precaliente el horno a 260°C (500°F). Derrita la cucharada restante de mantequilla. Pele las peras, corte longitudinalmente a la mitad y retire los corazones. Corte cada mitad longitudinalmente en rebanadas de ½ cm (¼ in) de grueso. En un tazón, mezcle la mantequilla derretida con 2 cucharaditas de azúcar mascabado. Agregue las rebanadas de pera y mezcle hasta cubrir. Extienda en una sola capa sobre una charola para hornear con bordes y ase cerca de 8 minutos, hasta que sus bases empiecen a dorarse. Con cuidado voltee las rebanadas de pera, espolvoree con el romero y continúe asando cerca de 7 minutos más, hasta que estén suaves y doradas. Usando una espátula pase cuidadosamente a un plato y deje enfriar. Corte la mitad de las rebanadas en cubos de 1 cm (½ in).

Retire la rama de romero de la olla y deseche. Trabajando en tandas, pase la sopa a una licuadora y muela hasta obtener un puré terso. Vierta el puré hacia una olla limpia. Añada las 2 cucharaditas restantes de azúcar mascabado, la media crema, 2 ½ cucharaditas de sal y pimienta al gusto; mezcle para integrar. Coloque sobre fuego medio-bajo y cocine cerca de 10 minutos, moviendo ocasionalmente, hasta que esté caliente.

Pruebe la sopa y rectifique la sazón. Usando un cucharón pase a tazones precalentados, coloque un poco de la pera picada en el centro de cada porción y cubra con una capa de las rebanadas de pera para que parezca que flotan en la superficie. Sirva de inmediato.

Con aroma a pino y flores y con un ligero sabor apimentado, el romero fresco es un contrapunto de sabor herbal para todos los elementos que componen esta sopa, no sólo para las peras dulces, sino también para la lujosa y aterciopelada calabaza butternut, la cebolla dulce y la rica mantequilla y crema que se licuan para convertirse en una sedosa sopa.

temas básicos

Las siguientes páginas ofrecen recetas para caldos y consomés, algunas de las cuales son recetas básicas que constituyen una gran adición para su repertorio y algunas otras están hechas específicamente para las sopas de este libro. También encontrará recetas de versátiles guarniciones para sopas y un manojo de consejos y técnicas para trabajar con muchos de los ingredientes requeridos en estas recetas.

caldo de pollo

3 kg (6 lb) de rabadilla o pescuezo de pollo

2 cebollas amarillas, cortadas en cuarterones

1 zanahoria grande, sin piel y picada grueso

1 tallo grande de apio, picado grueso

1 diente de ajo

4 ramas de perejil liso fresco

1 hoja seca de laurel

2 cucharaditas de granos de pimienta negra

En una olla grande para caldo mezcle el pollo con la cebolla, zanahoria, apio, ajo, perejil, hoja de laurel y granos de pimienta. Agregue agua hasta cubrir los ingredientes por más de 2 ½ cm (1 in) y hierva sobre fuego medio-alto.

Cuando el líquido suelte el hervor, reduzca el fuego a medio-bajo para que solamente haya pequeñas burbujas en la superficie. Retire la espuma que se forme en la superficie. Hierva lentamente de 2 a 2 ½ horas y continúe quitando la espuma conforme sea necesario. Agregue más agua, si fuera necesario, para mantener los ingredientes cubiertos.

Cuele el caldo a través de un colador de malla fina colocado sobre un tazón refractario grande, presionando los ingredientes sólidos para extraer la mayor cantidad de líquido posible. Deseche los ingredientes sólidos. Si usa el caldo inmediatamente, retire con una cuchara la mayor parte de grasa posible. O, si lo desea, deje enfriar completamente, tape y refrigere hasta por 3 días. Antes de usarse, levante la capa congelada de grasa de la superficie y deseche. Rinde aproximadamente 4 litros (4 qt).

caldo de pescado

1 ½ kg (3 lb) de espinazo de mahi mahi u otro pescado blanco, enjuagado y partido en trozos de 8 cm (3 in)

½ taza de vermouth seco

1 cebolla amarilla, picada grueso

⅔ taza de hojas de hinojo, picadas

6 ramas de tomillo fresco

2 hojas secas de laurel

1 cucharadita de sal kosher

1 cucharada de granos de pimienta negra

En una olla grande para caldo mezcle el espinazo de pescado con el vermouth. Agregue el agua necesaria para cubrir las espinas y lleve a ebullición sobre fuego medio-alto. Retire la espuma que se forme en la superficie. Añada la cebolla, hojas de hinojo, tomillo, hojas de laurel, sal, granos de pimienta y vuelva a hervir retirando la espuma cuando sea necesario. Reduzca el fuego a bajo y hierva lentamente durante 30 minutos, sin cubrir, hasta que el caldo sea rico y aromático. Cuele el caldo a través de un colador de malla fina colocado sobre un tazón refractario grande, presionando los ingredientes sólidos para extraer la mayor cantidad de líquido posible. Deseche los ingredientes sólidos. Use el caldo inmediatamente o deje enfriar, tape y refrigere hasta por 2 días. Rinde aproximadamente 5 tazas.

caldo de res concentrado

1 ½ ó 2 cucharadas de aceite de oliva o el necesario

2 ½ kg (5 lb) de pierna carnosa de res

1 cebolla amarilla, partida en cuarterones

3 dientes de ajo, finamente picados

⅔ taza de vino tinto seco

3 litros (3 quarts) de agua hirviendo

4 ramas de tomillo fresco

15 ramas de perejil liso fresco

1 cucharada de granos de pimienta negra

En una olla de hierro fundido o en alguna otra olla gruesa con tapa sobre fuego medio-alto, caliente una cucharada de aceite de oliva. Trabajando en tandas, dore la pierna de res por todos lados cerca de 12 minutos por tanda, pase la carne dorada a un tazón grande. Agregue más aceite de oliva a la olla conforme sea necesario. Cuando toda la carne esté dorada, reduzca el fuego a medio, caliente ½ cucharada de aceite de oliva, agregue la cebolla y el ajo y saltee durante 2 minutos, hasta que la cebolla empiece a suavizarse. Agregue el vino, suba el fuego a alto y lleve a ebullición. Usando una cuchara de madera raspe los trocitos dorados del fondo de la olla. Hierva cerca de 2 minutos, hasta que se reduzca y tenga la consistencia de un jarabe.

Regrese la carne dorada y los jugos que se hayan acumulado a la olla, reduzca el fuego a bajo, tape y cocine cerca de 20 minutos, hasta que la carne suelte su jugo. Suba el fuego a alto, agregue el agua hirviendo, tomillo, perejil y granos de pimienta. Lleve a ebullición, retire la espuma que suba a la superficie. Reduzca el fuego, hierva lentamente cerca de 2 ½ horas, hasta que la carne esté suave y el caldo sabroso. Continúe retirando la espuma conforme sea necesario.

Si va a usar la carne en una sopa, pase la carne a un plato grande y deje enfriar. Cuele el caldo a través de un colador de malla fina colocado sobre un tazón refractario grande, presionando los ingredientes sólidos para extraer la mayor cantidad de líquido posible. Deseche los sólidos. Retire la carne del hueso (deseche los huesos), deshebre o corte en cubos de 1.5 cm (½ in) y refrigere hasta el momento de usar. Si usa el caldo inmediatamente, retire la mayor parte de la grasa de la superficie con ayuda de una cuchara. O, si lo desea, deje enfriar completamente, tape y refrigere durante toda la noche. Antes de usarlo, levante la capa congelada de grasa de la superficie y deseche.

Rinde aproximadamente 2 litros (2 quarts).

caldo de pavo

2 alas grandes de pavo (aproximadamente 1 ½

kg/3 ½ lb en total) o 1 esqueleto carnoso de pavo

1 cucharada de aceite de canola

1 cebolla amarilla, picada grueso

2 ½ litros (2 ½ quarts) de agua hirviendo

2 hojas secas de laurel

Usando un cuchillo grande para chef corte cada ala de pavo en sus articulaciones en 3 trozos o corte los huesos del esqueleto de pavo en trozos de 10 ó 15 cm (4 – 6 in).

En una olla de hierro fundido u olla gruesa y grande con tapa sobre fuego medio, caliente el aceite. Agregue la cebolla y saltee durante 3 minutos, hasta que esté ligeramente suave. Pase la cebolla a un tazón y reserve. Añada la mitad de las piezas de pavo a la olla, cocine durante 4 minutos por cada lado, volteando una o dos veces, hasta dorar por todos lados. Pase el pavo dorado al tazón con la cebolla y repita la operación para cocinar las piezas de pavo restantes.

Regrese la cebolla y la primera tanda de piezas de pavo a la olla. Reduzca el fuego a bajo, tape y cocine durante 20 minutos, hasta que el pavo suelte su jugo. Suba el fuego a alto, agregue el agua hirviendo y las hojas de laurel, retire la espuma que suba a la superficie. Reduzca el fuego a bajo, hierva lentamente durante 2 horas, sin tapar, hasta que el caldo esté rico y aromático.

Si usa la carne de una sopa, pase las piezas de pavo a un platón y deje enfriar. Cuele el caldo a través de un colador de malla fina colocado sobre un tazón refractario grande. Deseche los sólidos del colador. Retire la carne de los huesos (deseche los huesos), deshebre en trozos pequeños y refrigere hasta el momento de usar. Si usa el caldo inmediatamente, retire la mayor cantidad posible de grasa. O, si lo

desea, deje enfriar por completo, tape y refrigere durante la noche. Antes de usarlo, levante la capa de grasa congelada de la superficie y deseche.

Rinde aproximadamente 8 tazas.

caldo de cangrejo

1/2 kg (1 lb) de patas de cangrejo king cocidas

1 cucharada de aceite de oliva

1 cebolla amarilla, finamente picada

1 zanahoria, sin piel y finamente picada

1 tallo de apio, finamente picado

2 dientes de ajo, finamente picados

⅓ taza de brandy o coñac

¾ taza de cubos de jitomate enlatado con su jugo

½ taza de vino blanco seco

Saque la carne de cangrejo del caparazón. Usando sus dedos deshebre la carne retirando los trocitos de caparazón o de cartílago. Tape la carne de cangrejo y refrigere hasta el momento de usar. Usando tijeras de cocina corte los caparazones en trozos de 3 cm (1 ½ in) y coloque en una bolsa de papel estraza. Usando un rodillo aplaste las cáscaras cuidadosamente.

En una olla de hierro fundido grande o en una olla gruesa con tapa sobre fuego medio-alto caliente el aceite de oliva. Agregue la cebolla, zanahoria, apio y ajo; saltee durante 5 minutos, hasta que las verduras estén suaves. Agregue los caparazones de cangrejo y cocine durante 2 minutos, moviendo ocasionalmente. Añada el brandy y caliente durante 10 segundos. Usando un cerillo largo encienda el brandy cuidadosamente. Deje las flamas encendidas durante 30 segundos, tape para extinguir las flamas. Agregue los jitomates, vino y 4 ½ tazas de agua. Suba el fuego a alto y lleve a ebullición. Cuando suelte el hervor reduzca el fuego, tape parcialmente y hierva lentamente durante 40 minutos, hasta que el caldo esté sabroso, retirándole la espuma que suba a la superficie.

Cuele el caldo a través de un colador de malla fina colocado sobre un tazón refractario grande, presionando los ingredientes sólidos para extraer la mayor cantidad de líquido posible. Deseche los ingredientes sólidos. Rinde aproximadamente 4 tazas.

alioli de limón

1 yema grande de huevo

2 dientes de ajo, finamente picados

1 ½ cucharadita de ralladura fina de limón

1 cucharada de jugo de limón fresco

½ cucharadita de mostaza dijon

¾ cucharadita de sal kosher

¾ taza de aceite de oliva más 2 cucharadas

En un tazón de material no reactivo y con ayuda de un batidor globo bata la yema de huevo con el ajo, ralladura y jugo de limón, mostaza y sal. Batiendo constantemente integre poco a poco el aceite de oliva con la mezcla de huevo hasta que empiece a espesar. Conforme vaya espesando, agregue más aceite de oliva, sin dejar de batir constantemente hasta incorporar todo el aceite y la salsa adquiera la consistencia de una mayonesa. Si queda muy espesa puede agregar un poco de agua, una cucharadita a la vez, hasta obtener la consistencia deseada. Tape con plástico adherente y refrigere hasta

el momento de usar. Rinde aproximadamente 1 taza.

pesto de arúgula

⅓ taza de nuez de Castilla

2 tazas ligeramente compactas de arúgula miniatura

1 diente de ajo, finamente picado

4 cucharadas de aceite de oliva extra virgen

sal kosher y pimienta recién molida

Ponga las nueces un una sartén pequeña sobre fuego medio y tueste de 3 a 5 minutos, moviendo frecuentemente, hasta que aromaticen y estén ligeramente doradas. Pase a un plato y deje enfriar.

En un procesador de alimentos mezcle las nueces, arúgula, ajo y una cucharada de aceite de oliva; pulse hasta obtener un puré parando para limpiar los lados del tazón conforme sea necesario. Con el motor encendido integre lentamente las 3 cucharadas restantes de aceite de oliva a través del tubo abastecedor y pulse hasta obtener una salsa tersa. Agregue ½ cucharadita de sal y pimienta al gusto; pulse para mezclar.

Pase el pesto a un tazón pequeño, presione plástico adherente directamente sobre la superficie, refrigere hasta el momento de usar. Rinde ⅔ taza.

crutones de ajo tostados

3 cucharadas de aceite de oliva

2 dientes de ajo, machacados

½ barra de pan francés o italiano de buena calidad, cortado en cubos de 1 cm (½ in)

(aproximadamente 4 tazas)

En una sartén grande sobre fuego medio-bajo caliente el aceite de oliva. Agregue los dientes de ajo y cocine durante 5 minutos, hasta que estén ligeramente dorados. Suba el fuego a medio, agregue los cubos de pan y mueva para cubrir perfectamente. Cocine de 10 a 12 minutos, moviendo frecuentemente, hasta que los crutones estén crujientes. Rinde aproximadamente 4 tazas.

obleas de asiago

½ cucharadita de aceite de oliva

250 g (½ lb) de queso asiago, rallado grueso

Barnice una sartén grande, gruesa y antiadherente con aceite de oliva y caliente sobre fuego medio. Espolvoree 2 cucharadas de queso en la sartén formando un círculo de aproximadamente 7 cm (2 ½ in) de diámetro. Repita la operación hasta hacer 3 ó 4 círculos más, dejando alrededor de 6 cm (2 in) entre cada uno.

Cocine el queso sin tocarlo durante 3 minutos, hasta que se derrita, burbujee, se extienda ligeramente y se empiece a dorar alrededor de las orillas. Usando una espátula despegue con cuidado, voltee las obleas y cocine alrededor de un minuto más, hasta que estén ligeramente doradas por el segundo lado. Ajuste el fuego conforme sea necesario.

Pase las obleas a un plato cubierto con una toalla de papel. Repita la operación con el queso restante. No es necesario agregar más aceite después de la primera tanda. Deje que las obleas se enfríen a temperatura ambiente. Rinde aproximadamente 18 obleas.

cocinando quinoa

1 Enjuague la quinoa Ponga ³/₄ taza en un colador de malla fina, enjuague perfectamente bajo el chorro de agua fría y escurra.

2 Hierva lentamente En una olla sobre fuego medio-alto ponga 1 ¹/₃ tazas de agua y lleve a ebullición. Integre ½ cucharadita de sal y la quinoa, vuelva a hervir una vez más. Reduzca el fuego a bajo, tape y hierva a fuego lento alrededor de 12 minutos, hasta que la quinoa esté rolliza y ligeramente suave.

3 Deje reposar Retire la olla del fuego y deje reposar, tapada, durante 12 minutos más, hasta que la quinoa haya absorbido todo el líquido.

tostando nueces y semillas

en el horno Esparza las nueces o semillas en una capa uniforme sobre un platón refractario o una charola para hornear. Tueste en el horno a 175°C (350°F) de 5 a 10 minutos dependiendo del tamaño y cantidad de las nueces o semillas, moviendo una o dos veces, hasta que aromaticen y estén ligeramente doradas. Deje enfriar completamente antes de usarlas.

en la estufa Coloque las nueces o semillas en una capa uniforme en una sartén. Tueste sobre fuego medio de 2 a 5 minutos dependiendo del tamaño y cantidad de las nueces o semillas, moviéndolas de vez en cuando o sacudiendo la sartén, hasta que aromaticen y estén ligeramente doradas. Deje enfriar completamente antes de usarlas.

preparando un asador para cocinar a fuego directo

asador de carbón Encienda aproximadamente 1 kg (2 ½ lb) de carbón y deje quemar hasta que esté cubierto de ceniza blanca. Extienda los carbones en una capa uniforme sobre la base del asador y deje quemar de 20 a 30 minutos, hasta que esté a temperatura media-alta. Coloque la parrilla del asador en su lugar y barnícela ligeramente con aceite para evitar que la comida se pegue.

asador de gas Encienda todas las hornillas a fuego alto. Cierre la cubierta y precaliente el asador de 10 a 20 minutos. Reduzca el fuego a medio alto. Barnice ligeramente la parrilla con aceite para evitar que la comida se pegue.

cocinando langostas vivas

1 Ponga a hervir agua Llene una olla muy grande con dos terceras partes de agua con sal sobre fuego alto y lleve a ebullición.

2 Agregue las langostas Agregue las langostas a la olla metiendo las cabezas primero. Añada solamente las langostas que puedan caber holgadamente y cocine en tandas si fuera necesario. Tape la olla y vuelva a llevar a ebullición. Cocine de 6 a 8 minutos, hasta que las langostas estén de color rojo oscuro.

3 Deje enfriar Usando unas pinzas pase las langostas a un tazón o a un platón grande y deje enfriar.

cocinando frijoles secos

1 Limpie y enjuague los frijoles Limpie los frijoles quitando cualquier arenilla o piedra así como los frijoles descoloridos o rotos. Ponga los frijoles en un colador, enjuague bajo el chorro de agua y escurra.

2 Lleve a ebullición y deje reposar Ponga los frijoles en una olla grande y añada agua hasta cubrirlos por 5 cm (2 in). Lleve a ebullición sobre fuego alto y deje hervir durante 2 minutos. Retire del fuego, tape y deje reposar a temperatura ambiente durante 2 horas.

3 Hierva lentamente hasta que estén suaves Agregue suficiente agua una vez más, hasta cubrir los frijoles por 5 cm (2 in). Pruebe los frijoles y si están ligeramente suaves, añada una cucharada de sal. Si todavía no están ligeramente suaves, no agregue sal. Ponga sobre fuego alto una vez más, tape y lleve a ebullición. Reduzca el fuego a bajo, tape parcialmente y deje hervir a fuego lento alrededor de 30 minutos, hasta que los frijoles estén completamente suaves pero no desbaratados. Si no agregó sal, pruebe los frijoles cada 10 ó 15 minutos para ver la suavidad y agregue una cucharada de sal cuando estén ligeramente suaves. Escurra perfectamente.

picando o rebanando cebollas

1 Parta la cebolla a la mitad y retire la piel Usando un cuchillo filoso para chef rebane la parte del brote de la cebolla. Coloque la cebolla con la parte cortada hacia abajo y corte longitudinalmente a la mitad desde la raíz hasta el lado del brote. Retire y deseche la piel apapelada del exterior de cada mitad.

2 Haga varios cortes longitudinales Ponga media cebolla con el lado plano hacia abajo sobre una tabla para picar. Haga una serie de cortes longitudinales desde la punta del brote hasta el lado de la raíz, pero no corte hasta la raíz.

3 Haga varios cortes horizontales A continuación, coloque la punta de la raíz de la mitad de la cebolla hacia la izquierda si usted es diestro o hacia la derecha si usted es zurdo. Con la navaja del cuchillo paralela a la tabla de picar, haga una serie de cortes verticales paralelos desde el lado del brote hacia el lado de la raíz deteniéndose justo antes de la raíz.

4 Pique o parta la cebolla en cubos Por último, haga una serie de cortes perpendiculares a los primeros dos tipos de cortes, trabajando del lado del brote hasta la punta de la raíz. Repita del paso 2 al 4 con la mitad de la cebolla restante.

trabajando con hierbas frescas

cilantro, eneldo, menta, perejil, estragón, salvia Retire las hojas jalándolas de los tallos. Junte las hojas sobre una tabla para picar y balancee un cuchillo de chef hacia delante y hacia atrás sobre las hojas hasta picarlas del tamaño deseado.

tomillo y romero Para retirar las hojas, pase sus dedos pulgar e índice suavemente hacia abajo de los tallos, en dirección contraria al crecimiento de las hojas. Las hojas que estén firmemente pegadas al tallo necesitan jalarse. Reúna las hojas sobre una tabla para picar y balancee un cuchillo para chef hacia delante y hacia atrás sobre las hojas para picarlas del tamaño deseado.

cebollín Junte el cebollín en un manojo pequeño sobre una tabla para picar. Usando un cuchillo para chef muy filoso corte el cebollín transversalmente en trozos pequeños. O, si lo desea, puede cortarlo con tijeras para cocina.

trabajando con cítricos

rallando Si la receta requiere ralladura y jugo cítrico, ralle la fruta antes de sacarle el jugo pues es más fácil rallarla cuando está entera. Para rallar la cáscara del cítrico use un rallador de raspas finas. Ejerciendo una leve presión, mueva el cítrico para adelante y para atrás en contra de las raspas del rallador, retirando solamente la parte de color de la cáscara y dejando la parte blanca amarga. Para tiras más largas, use un pelador de verduras filoso para retirar la cáscara en piezas largas y anchas trabajando de punta a punta.

exprimiendo jugo Para obtener la mayor cantidad posible de jugo de una fruta cítrica, la fruta deberá estar a temperatura ambiente. Justo antes de exprimirla, ruédela hacia adelante y hacia atrás sobre una superficie de trabajo, presionando firmemente con la palma de su mano para suavizar la fruta. Corte la fruta a la mitad y use un exprimidor o extractor de jugos para exprimir el jugo de cada mitad. Cuele el jugo para retirar las semillas y los trocitos de pulpa.

retirando las semillas de los pepinos

1 Corte el pepino a la mitad Retire la piel del pepino si la receta lo requiere. Usando un cuchillo grande para chef corte el pepino longitudinalmente a la mitad.

2 Retire las semillas Usando la punta redonda de una cuchara sopera retire las semillas de cada mitad del pepino.

retirando los granos de los elotes

1 Retire las hojas Jale y deseche las hojas y los cabellos de cada elote.

2 Corte cada elote a la mitad Usando un cuchillo grande para chef, corte cada elote transversalmente a la mitad.

3 Retire los granos del elote Coloque una mitad del elote con el lado cortado sobre la tabla para picar. Con la navaja del cuchillo contra el elote, retire los granos. Rote el elote conforme sea necesario hasta retirar todos los granos.

limpiando champiñones frescos

1 Cepille o limpie el polvo Usando un cepillo para champiñones o un trapo húmedo, cuidadosamente cepille o limpie el polvo que tengan los champiñones.

2 Corte los tallos Usando un cuchillo mondador recorte una rebanada delgada de la base del tallo de cada champiñón. O, si únicamente se necesitan los botones de los champiñones, corte o jale el tallo completo.

trabajando con camarones

1 Retire la piel de los camarones Jale las patas de la curva interior de cada camarón.

Empezando por el lado de la cabeza, retire la piel. Si lo desea, deje la cola y la piel adherida a ella.

2 Retire los intestinos Usando un cuchillo mondador filoso haga un corte poco profundo a lo largo de la curva exterior de cada camarón. Si hay una parte oscura a lo largo del camarón, levántela con la punta del cuchillo y deseche.

retirando el hueso a las aceitunas

1 Presione las aceitunas Coloque las aceitunas en una bolsa de plástico con cierre hermético, saque el aire y ciérrela. Usando un mazo para carnicero o un rodillo presione las aceitunas suavemente para abrir la carne. O, si lo desea, presione las aceitunas con la parte plana de un cuchillo para chef.

2 Retire los huesos Saque de la bolsa las aceitunas ligeramente aplastadas y con sus dedos separe los huesos de la carne de la aceituna. Use un cuchillo mondador para separar los huesos más pegados de la carne de las aceitunas.

haciendo puré las sopas

usando una licuadora de inmersión Usando una licuadora manual de inmersión es una manera sencilla de hacer puré las sopas porque puede usarse directamente en la olla en que se hizo la sopa, eliminando así la necesidad de ensuciar más tazones o utensilios. Sin embargo, el inconveniente es que la licuadora de inmersión crea un puré con una textura áspera y ligeramente pulposa.

usando una licuadora de pie Una licuadora de pie proporciona un puré fino, pero el trabajar con líquidos calientes requiere precaución: La presión creada por el vapor puede levantar la tapa cuando la licuadora está funcionando. Antes de licuar líquidos calientes, deje que la mezcla enfríe durante unos minutos. Haga el puré por tandas, dejando por lo menos 5 cm (2 in) de espacio en la parte superior del vaso de la licuadora cada vez que lo llene. Si la tapa tiene un tapón desmontable, retírelo, cubra el vaso con la tapa y usando una toalla de cocina cúbrala antes de encender el motor. Empiece usando la licuadora en velocidad baja e incremente la velocidad gradualmente.

sazonando sopas

El caldo o consomé hecho en casa siempre es la mejor opción para una sopa si tiene el tiempo de hacerlo. El consomé comprado es una opción que se ofrece en muchas de las recetas de este libro, pero asegúrese de usar siempre consomé bajo en sodio; esto permite tener mejor control sobre la cantidad de sal que va en el platillo. Antes de servir la sopa, recuerde probarla y rectificar la sazón con sal, pimienta y, en algunos casos, con vinagre, jugo de limón, salsa de soya u otro ingrediente salado o ácido, si fuera necesario. Este paso es muy importante con un sopa fría porque una vez fría, sabe mucho menos sazonada que cuando estaba caliente o a temperatura ambiente.

manteniendo las sopas calientes o frías para servir

sopas calientes Para mantener una sopa caliente al servirla en la mesa, es recomendable que caliente la sopera y los platos soperos. Una manera de hacerlo es colocando los platos soperos en el horno a 100°C (200°F) durante unos minutos (asegúrese de que los platos soperos sean térmicos). Otra manera de lograrlo es vertiendo agua hirviendo en los platos soperos. Deje reposar durante 5 minutos, retire el agua y séquelos antes de servir la sopa caliente.

sopas frías Para mantener una sopa fría una vez que está servida, enfríe los platos soperos con anterioridad poniéndolos en el congelador o en el refrigerador. Si no tiene espacio en el congelador o en el refrigerador, vierta agua con hielos en los platos soperos y deje reposar sobre la superficie de trabajo de 5 a 10 minutos. Antes de servir la sopa retire el agua con hielos y seque los platos soperos.

almacenando sopas

La mayoría de las sopas se conservan bien con excepción de las sopas que tienen ingredientes crudos como el gazpacho y las sopas con ingredientes muy almidonados como las sopas de jitomate y de pan. Para almacenar la sopa, pásela a un recipiente hermético y deje enfriar completamente sin tapar. Luego tape firmemente y refrigere. Para recalentar la sopa, pase a una olla y caliente cuidadosamente sobre fuego medio. Si la sopa se espesó al almacenarla (las sopas con contenidos almidonados son particularmente susceptibles), integre un poco más de caldo hasta obtener la consistencia deseada. Asegúrese de probar la sopa y rectificar la sazón si fuera necesario.

ingredientes de temporada

Todas las frutas y verduras frescas tienen una temporada en la que se encuentran en su punto. La tabla de la derecha indica la temporada de la mayoría de los productos usados en este libro. Note que aunque algunas frutas y verduras están disponibles durante todo el año, como las manzanas y las berenjenas, tienen una temporada en la que son más sabrosas. Los puntos rellenos indican las temporadas principales; los puntos vacíos indican las temporadas de transición.

INGREDIENTES	PRIMAVERA	VERANO	OTOÑO	INVIERNO
manzanas			●	○
alcachofas	●		●	
arúgula	●	●	●	
espárragos	●			
aguacates	●	●	●	●
habas	●			
habas verdes		●		
betabeles		●	●	○
bok hoy miniatura	●		●	●
calabaza butternut			●	
col napa	●	●	●	●
zanahoria	●	○	●	●
coliflor		●	●	○
apio nabo			●	●
cerezas ácidas	●			
cerezas dulces	○	●		
castañas			●	●
chiles		●	●	
pepinos		●		
berenjenas		●	○	
hinojo	●	●	●	●

INGREDIENTES	PRIMAVERA	VERANO	OTOÑO	INVIERNO
ajo		●	○	
ajo verde	●			
col rizada	○	○	●	●
poros	●	●	●	●
limones	○			●
limones amarillos	○			●
hongos cremini	●	●	●	●
cebollas dulces	●			
naranjas	○			●
peras			●	●
pimientos		●	●	
papas	○		●	●
chalotes		●	●	○
espinaca miniatura	●	●	●	●
calabaza de verano		●	○	
camote			●	●
acelgas	●	●	●	●
tomate verde		●	●	
tomate		●	○	
berro	●		●	●
calabacitas		●	○	

glosario

aceites Algunos aceites son mejores para cocinar a fuego alto y otros para rociar sobre un platillo terminado y dar un toque de sabor.

asiático de ajonjolí Este aceite de color ámbar oscuro se obtiene al prensar semillas de ajonjolí tostadas. Tiene un sabor fuerte y se debe utilizar moderadamente como condimento en platillos de inspiración asiática.

asiático de chile Este aceite que se encuentra en los mercados asiáticos y muchos supermercados, se hace al remojar chiles picantes en un aceite vegetal de sabor neutro. Los chiles infunden al aceite un color rojo vibrante y un marcado picor.

canola Este aceite de sabor neutral es prensado de colza, un miembro de la familia de la planta de mostaza. Alto en grasas monoinsaturadas es recomendado para la cocina en general. También tiene un alto punto de humeado y se puede usar para freír.

de oliva La primera prensada fría de aceitunas proporciona el aceite de oliva extra virgen, la variedad que tiene el menor nivel de ácido y el sabor más puro, cuyo sabor completo refleja el lugar en donde han crecido las aceitunas. El aceite de oliva extra virgen es mejor en aquellas preparaciones en las que no está sujeto a fuego alto el cual destruye su sabor. Cuando se sigue prensando produce el "aceite de oliva" simple que es recomendable para la cocina en general.

aceitunas kalamata Estas aceitunas saladas y curadas en salmuera se llaman así por la ciudad de Kalamata en el sur de Grecia. Estas aceitunas oscuras tienen un oscuro color púrpura casi negro, son grandes y su sabor es fuerte y ligeramente afrutado.

ajo verde Raíces de ajo inmaduro, tallos de ajo verde que parecen cebollitas de cambray. su sabor es similar al del ajo maduro, pero menos fuerte y picante. El ajo verde sólo se encuentra en primavera.

alioli Una mayonesa con penetrante sabor a ajo, el alioli es una salsa clásica y un condimento popular en el sur de Francia.

anís estrella Estas vainas de color café oscuro y forma de estrella tienen un sabor muy parecido a la semilla del anís y de ahí su nombre, pero tienen una calidad más sabrosa y asertiva. Son nativas de China y cuando se muelen hasta hacerlas polvo son uno de los ingredientes del polvo chino de cinco especias.

apio nabo También conocido como celeriac o raíz de apio, el apio nabo es una verdura nudosa y redonda de otoño e invierno que aporta un sabor suave de apio cuando se cocina y una textura crujiente cuando se usa crudo en ensaladas.

apio, semilla de Esta diminuta semilla seca de la planta de apio silvestre tiene un fuerte sabor a apio y se usa con frecuencia en ensalada de papa, de col y en mezclas de escabeche.

arúgula Las hojas de esta planta de color verde oscuro, llamada "rocket" en inglés, parecen hojas de roble alargadas y con muchos cortes. Tienen un ácido sabor a nuez ligeramente apimentado. El sabor de la arúgula madura a menudo es más fuerte que el de la tierna arúgula pequeña.

arroz Entre todos los granos el arroz es el que más se consume. Cada variedad de arroz tiene características únicas. Los dos tipos de arroz que se usan en este libro se describen en los siguientes párrafos.

basmati El arroz basmati es un arroz aromático de grano largo con sabor y aroma a nuez. Es el arroz que más se usa en la India y algunas partes del Medio Oriente.

jazmín Similar al basmati, el arroz jazmín es una variedad de grano largo aromático con sabor a nuez ligeramente floral. Es de origen tailandés.

azafrán El estigma o flor de una pequeña planta de croco que debe ser recogido a mano y luego secado. Se requieren varios miles de flores para producir 30 g (1 oz) de hilos de azafrán seco, por lo cual el azafrán es la especia más cara de todas. Para nuestra suerte, esta especia rinde mucho; usando sólo una pizca podemos sazonar platillos con este sabor único, y al mismo tiempo proporcionarles el color dorado característico del azafrán.

bambú, brotes de Usados frecuentemente en la cocina asiática, los brotes de bambú tienen una textura crujiente y un agradable sabor ligeramente dulce. Generalmente, se venden en lata o en frascos.

berros Miembros de la familia de la mostaza

con hojas redondas de color verde oscuro en tallos delicados. Los berros tienen un refrescante sabor apimentado que se vuelve amargo con el tiempo.

bisque Es una rica sopa con una textura espesa y tersa, generalmente, hecha con caparazones de mariscos como su ingrediente principal. El ingrediente que sirve para espesar una bisque clásica es el arroz que se cocina como base y se hace puré con los demás ingredientes.

brandy de manzana (applejack) Este brandy hecho de manzanas tiene un color ámbar oscuro. Su sabor es ligeramente dulce con un distintivo sabor a manzanas.

caldo Al igual que el consomé, el caldo se hace al hervir lentamente verduras, pollo, carne o mariscos en agua. Pero, sin importar el ingrediente del que esté hecho, el caldo no se sazona con sal ya que, generalmente, es la base para salsas de reducción lo cual hace que se concentren los sabores.

Calvados Este brandy de manzana añejado en barricas de roble viene de Normandía, Francia, en donde se toma como digestivo además de usarse tanto en platillos dulces como sazonados.

cangrejo king Esta especie de cangrejo grande se cultiva en las aguas frías de Alaska. Las patas son la parte más carnosa de este cangrejo; se venden cocidas y congeladas en muchas tiendas de auto servicio.

castañas sin cáscara al vapor Las castañas frescas siempre se venden en su cáscara suave de color caoba. Son muy difíciles de pelar y cocinar para usarse como ingrediente en un platillo. Afortunadamente, ya se venden frascos de castañas sin cáscara y cocidas al vapor en algunos supermercados y tiendas de abarrotes, especialmente en el otoño y en el invierno. Las castañas tienen un sabor ligeramente dulce y una textura carnosa y almidonada.

cebada Esta variedad de trigo se conoce algunas veces como emmer. Se considera haber tenido un origen muy antiguo y fue muy popular en una época en las cocinas del Mediterráneo y del Medio Oriente. Hoy en día se usa más en la cocina italiana. La textura del grano ya cocido es bastante correosa y tiene un sabor entero a nuez.

coco Fruta de una palmera tropical, los cocos tienen muchos usos culinarios. En este libro se usan tres tipos de productos de coco.

coco rallado, sin endulzar Estas ralladuras finas vienen de la carne blanca del interior del coco. Búsquelas en tiendas de comida natural o en mercados asiáticos.

leche de coco, ligera, sin endulzar Esta versión de bajo contenido graso tiene una textura ligeramente más delgada y un sabor magro comparada con la leche de coco entera, pero se puede usar en muchas recetas que piden leche de coco.

leche de coco, sin endulzar De venta en latas, la leche de coco se hace al procesar coco rallado con agua. Cuando se deja en reposo la grasa espesa, o crema de coco, sube a la superficie del líquido por lo que antes de usarla, mueva la lata o revuelva su contenido.

consomé El líquido que resulta de cocer verduras, pollo, carne o pescado en agua se conoce como consomé. Sin importar el sabor primario, el consomé se sazona con sal, mientras que el caldo no. Si usa el consomé comprado búsquelo de bajo contenido en sodio.

curry en polvo El curry en polvo es un producto convencional usado por los cocineros hindúes para simplificar la tarea diaria de mezclar especias. Es una mezcla compleja de chiles, especias, semillas y hierbas molidas.

chile de ajo asiático, en pasta Este condimento de color rojo-naranja brillante está hecho con chiles frescos molidos y sazonado con ajo. Se vende en frascos en los supermercados bien abastecidos y en las tiendas asiáticas.

chiles Cuando compre chiles frescos busque los rollizos, firmes y sin manchas. Cuando compre chiles secos, busque los que estén suaves y flexibles y no los duros y ásperos.

ancho Los chiles anchos son la versión seca de los chiles poblanos. Son anchos de la parte superior y van disminuyendo en tamaño hasta llegar a la punta. Son de color rojo oscuro, saben a fruta seca y chocolate y tienen poco picor o casi nada.

chipotle en salsa de adobo Los chiles chipotles son chiles jalapeños rojos maduros que se han ahumado. Para hacer chiles chipotles en adobo se remojan en una salsa avinagrada y sazonada de jitomate. Se venden enlatados en la mayoría de los supermercados.

jalapeño Este chile de color verde brillante que mide aproximadamente 5 cm (2 in) de largo, varía de picante a muy picante y es uno de los chiles más usados en los Estados Unidos.

poblano De color verde oscuro, el chile poblano mide cerca de 13 cm (5 in) de largo, es ancho de la parte superior cerca del tallo y su cuerpo va disminuyendo en grosor. Tiene un sabor natural a verdura y es ligeramente picante. Los chiles poblanos que se secan son conocidos como chiles anchos.

serrano El chile serrano es ligeramente más pequeño que el chile jalapeño pero, por lo general, es un poco más picoso. A menudo se vende verde aunque algunas veces también se encuentra el serrano rojo.

chili en polvo Esta mezcla de especias lleva chiles secos, comino, orégano, ajo y otras especias. Se usa frecuentemente en la cocina del suroeste de Estados Unidos, pero nunca se usa en la auténtica comida mexicana. No confunda el chili en polvo con el chile molido que es simplemente chile seco molido.

chorizo español Es una salchicha tosca de puerco sazonada con ajo y páprika, el chorizo español a menudo se cura, seca o ahúma y tiene un sabor penetrante. Antes de usarlo se debe retirar su revestimiento. No sustituya el chorizo español por el chorizo mexicano que es fresco.

dashi Este consomé es uno de los ingredientes básicos de la cocina japonesa.

Está hecho con hojuelas de bonito, alga kombu y agua. El dashi debe ser claro y tener un ligero y moderado sabor a pescado ahumado.

edamame Los frijoles verdes de soya a menudo son conocidos por su nombre japonés de edamame. Se venden congelados tanto en sus vainas como sin ellas.

espaldilla de res Es un corte del hombro o espaldilla de la vaca y algunas veces llamado "filete de plancha". Tiene una línea gruesa de cartílago a todo lo largo que deberá retirarse antes de cocinarlo.

frijoles secos Hay una gran variedad de frijoles secos en los mercados de la actualidad. Los dos tipos de frijoles que se usan en este libro se muestran en los siguientes párrafos.

frijoles negros Los frijoles negros son pequeños. Algunas veces conocidos como frijoles tortuga, tienen una textura firme y densa cuando se cuecen y un sabor muy ligeramente dulce.

frijoles pintos Estos frijoles de color café pálido algunas veces tienen manchas o rayas de color que desaparecen al cocinarse. Tienen un sabor natural completo y una textura cremosa.

garbanzos También conocidos como frijoles ceci, tienen un rico sabor a nuez. Son de color beige, de forma redonda y tienen una textura firme.

gazpacho Esta clásica sopa fría viene de Andalucía en el sur de España. Es típicamente

una sopa hecha puré con una base de jitomate que incorpora varias verduras del verano así como aceite de oliva y crutones de pan.

gremolata Este condimento italiano es una simple mezcla de hierbas finamente picadas entre las que están: perejil, ralladura de limón y ajo. Es la guarnición tradicional para el osso buco y agrega un sabor fresco y brillante a cualquier platillo al que se le agregue.

habas verdes También conocidas como frijoles anchos, estas leguminosas de primavera tienen un sabor natural ligeramente amargo. La porción comestible se debe retirar de la gran vaina exterior para retirar después a cada haba su piel exterior que es un poco dura.

hojuelas de bonito Estas delicadas hojuelas de color beige, casi transparentes, se rebanan de un pescado de bonito que se ha secado y ahumado. Las hojuelas tienen un sutil sabor y olor a pescado ahumado y son uno de los principales ingredientes en las salsas japonesas para remojar y para preparar el dashi, el tradicional caldo de pescado.

hongos Actualmente hay una gran variedad de hongos a la disponibilidad de los cocineros. Cada tipo tiene un sabor y una textura única.

cremini Similares a los champiñones en forma y tamaño, los hongos cremini son de color café moteado. Tienen una textura más firme y un sabor más completo que los champiñones blancos.

porcini, secos Los hongos porcini secos se venden en la mayoría de las tiendas de abarrotes bien surtidas y supermercados especializados en alimentos. Tienen un aroma y un sabor intensamente sazonado. Cuando se cocina con ellos, una pequeña porción agrega un sabor completo a bosque. Cuando compre porcini secos, busque un paquete con piezas grandes y muy pocos trozos pequeños desmoronados.

shiitake, secos Originarios de Japón, los hongos shiitake actualmente se pueden encontrar con facilidad en los Estados Unidos. Los hongos shiitake secos tienen un aroma y sabor muy natural y carnoso. Busque los que tengan hendiduras pálidas en la superficie de sus botones.

jamón serrano Un jamón seco curado hecho en la regiones montañosas de España. Aunque similar al prosciutto italiano, al hacer una comparación se notarían algunas diferencias ligeras pero distintivas en sabor y textura.

jerez seco Un vino fortificado originario del sur de España, el jerez está hecho de uvas Palomino Fino. El jerez seco es ligeramente dulce y a menudo se usa para cocinar.

kombu Este tipo de alga marina seca es básica en la cocina japonesa. Se vende, generalmente, en hojas delgadas de color verde oscuro cubiertas por un residuo blanco de sal y tienen un aroma fuerte de mar. Su uso más común es como sazonador para el dashi, el caldo que se usa para hacer la sopa miso.

lemongrass Esta hierba con un fresco sabor a limón, pero sin su gusto abrasivo, parece una cebollita de cambray con hojas de color verde pálido claro. El suave corazón del interior

contiene la mayor parte de su sabor.

lentejas francesas verdes También conocidas como lentejas Puy, estas diminutas lentejas de color verde grisáceo tienen un aspecto manchado. Su sabor es moderado y natural y tienden a conservar su forma más que cualquier otra variedad de lentejas al cocinarlas.

maíz cacahuazintle Son granos de elote secos que se remojan en un líquido alcalino como el limón o la lejía, se lavan para quitarles la piel y luego se cocinan. Parecen granos de elote y son suaves, blancos y esponjados. Este tipo de maíz se vende seco o listo para comerse en lata.

material no reactivo El aluminio no tratado o las ollas de hierro fundido pueden reaccionar con ingredientes ácidos como el jugo de cítricos, vinagre o vino, dándoles un sabor metálico y un color desagradable. Cuando tenga duda, cocine en ollas de acero inoxidable, aluminio anodizado o hierro fundido esmaltado. Para prepara mezclas ácidas use tazones de acero inoxidable, vidrio o cerámica.

matzoh, harina La harina de matzoh se hace al moler el pan sin levadura matzoh que tradicionalmente se come en la Pascua judía. La harina de Matzoh, al igual que el pan molido, se usa para juntar, espesar y cubrir otros alimentos así como para hacer bolitas de matzoh.

menestra Es la palabra italiana para "sopa" pero se le da este nombre a una sopa moderadamente sustanciosa que, por lo

general, lleva verduras.

miel de maple pura de grado B La miel de maple se hace al hervir la savia del árbol de maple hasta obtener una miel de color ámbar. Esta miel tiene diferentes graduaciones dependiendo de su color. La miel de maple para cocinar y la miel de grado B son las de color más oscuro y tienen un sabor fuerte; la miel de grado A tiene un sabor y un color más ligero.

mirin Un ingrediente importante de la cocina japonesa, el mirin es un vino dulce para cocina que se produce al fermentar arroz glutinoso y azúcar. Este vino de color dorado pálido y consistencia de almíbar proporciona un rico sabor y un brillo translúcido a las salsas, aderezos y a los platillos cocidos a fuego lento.

miso blanco Un alimento básico de la cocina japonesa, el miso es una pasta fermentada de frijol de soya y grano. De sabor relativamente suave, el miso blanco o shiro miso es una de las variedades más comunes. Busque el miso en los refrigeradores de las tiendas de abarrotes bien surtidas, tiendas de alimentos naturales o tiendas especializadas en alimentos japoneses.

orzo La palabra italiana para "cebada", este tipo de pasta tiene la forma de un grano de arroz grande y plano. Es particularmente adecuado para usarse en sopas.

páprika ahumada Una especialidad española, la páprika ahumada es elaborada con pimientos rojos ahumados y molidos. Tiene un sabor natural ahumado casi carnoso y un color rojo oscuro. La páprika ahumada puede ser de diferentes variedades: dulce o suave, semidulce o agridulce y picante.

pasta de curry tai La pasta de curry está hecha de una compleja mezcla de chiles, chalotes, ajo, hierbas y especias que son la base del sabor para los platillos curry tai. Se vende en frascos o latas pequeñas en tiendas de abarrotes bien surtidas y en tiendas especializadas en productos de Asia.

pasta de curry amarillo La pasta de curry amarillo obtiene su color amarillento y su sabor natural debido a la abundancia de cúrcuma. Es moderadamente picante.

pasta de curry rojo La pasta tai de curry rojo está hecha con una mezcla de chiles rojos, ajo, cilantro, lemongrass, chalotes, pasta de camarón y otros sazonadores y especias.

pepino inglés Los pepinos ingleses, delgados, de color verde oscuro y también llamados pepinos de invernadero, son de piel delgada y tienen menos semillas que los pepinos comunes. Se venden frecuentemente envueltos en plástico adherente a un lado de los pepinos comunes.

Pernod Este licor de color amarillo verdoso brillante y con sabor a anís es popular en Francia, en donde se hace. Generalmente, se toma como aperitivo mezclado con agua.

puré de calabaza Este puré espeso de calabaza cocida sin sazonar, se vende enlatado y algunas veces simplemente etiquetado como calabaza. Cuando lo compre, no se confunda con el relleno de calabaza para pay que está sazonado con especias.

queso El queso proporciona un sabor y una textura única a muchas recetas, incluyendo a las sopas. Para obtener los quesos más frescos visite una tienda especializada en quesos.

asiago Del norte de Italia, este queso de leche de vaca es un excelente queso para derretir. El asiago joven, algunas veces llamado asiago fresco, tiene una textura semi firme y un ligero y moderado sabor a nuez. El asiago añejo tiene un agradable sabor distintivo y una textura seca que lo hace adecuado para rallarse.

azul Los quesos azules han sido tratados con moho y forman venas azules o bolsillos de moho que le dan a este queso su sabor fuerte y agudo. Varían en textura desde seco y desmenuzable hasta suave y cremoso.

cotija Este queso de vaca mexicano, seco y desmenuzado, es asertivamente salado pero tiene un sabor muy moderado. Por lo general, no se sirve como un queso de mesa; frecuentemente se desmenuza sobre sopas, tacos, frijoles y verduras como un ligero acento de sabor. El queso cotija se vende algunas veces como queso añejo o queso seco.

cheddar, inglés Se creó por primera vez en el pueblo de Cheddar, Inglaterra, y este queso de leche de vaca se aprecia por su rico y salado sabor el cual varía desde el moderado hasta el más fuerte dependiendo de su edad. Para sopas, busque un auténtico queso cheddar inglés con un sabor audaz y penetrante.

de cabra fresco También llamado chèvre, este queso puro y blanco está hecho con leche de cabra y tiene una textura suave y un agradable sabor ácido y ligeramente salado. No use el queso de cabra añejo en una receta que requiera queso de cabra fresco.

feta Un queso blanco desmenuzable, hecho de leche de cabra o de vaca y curado en salmuera, el queso feta es un queso griego tradicional aunque hoy en día se hace en muchos países del mundo, incluyendo los Estados Unidos y Francia. Tiene un agradable sabor ácido y salado.

parmigiano-reggiano Este auténtico queso parmesano está hecho de leche de vaca en el norte de Italia de acuerdo a estrictas reglas. También se pueden conseguir otras versiones hechas en otros países, pero ninguna se compara con el complejo y rico sabor a nuez del parmigiano-reggiano.

quinoa Un ingrediente básico de los antiguos incas del Perú, es un grano altamente nutritivo que parece una semilla esférica de ajonjolí. Cuando se cocina, la quinoa tiene un moderado sabor y una textura ligera y esponjosa. Se debe enjuagar muy bien antes de cocinarse porque el grano tiene un residuo natural con un sabor muy amargo.

roux Una mezcla de harina y grasa (generalmente, mantequilla o aceite), el roux se usa para espesar salsas, sopas y guisados. El tiempo de cocimiento del roux determina su color. El roux blanco o rubio ligeramente cocinado tiene muy poco sabor pero mayor poder espesante. El roux de color café es el resultado de un cocimiento largo, tiene un sabor tostado profundo y menos poder espesante.

salchicha merguez Está hecha de cordero y es una salchicha fresca y picante originalmente del norte de África. Su color rojo proviene de las especias y chiles que le dan sabor.

salsa asiática de pescado Hecha de pescado salado y fermentado, la salsa de pescado es un líquido delgado y transparente cuyo color varía desde el ámbar hasta el café oscuro. Los sudasiáticos la utilizan de la misma forma en que los occidentales utilizamos la sal, tanto para condimentar un platillo como para sazonar alimentos en la mesa.

semillas de calabaza sin cáscara También llamadas pepitas, las semillas de calabaza sin cáscara son de color verde y tienen un sabor ligeramente a verdura y a nuez.

sidra espumosa de manzana Esta bebida espumosa es jugo o sidra de manzana que se ha fermentado y desarrollado en alcohol

soba, tallarines de trigo sarraceno Estos tallarines japoneses de color beige grisáceo tienen puntas cuadradas y un sabor natural a nuez que proviene de la harina de trigo sarraceno que se usa para hacerlos. Se pueden servir en platillos fríos o calientes. Generalmente, los tallarines soba se venden secos en paquetes que contienen manojos pequeños.

tofu extra firme Alto en proteína y moderado en sabor, el tofu es simplemente el requesón del frijol de soya. El tofu extra firme es el que tiene la textura más densa de todas las demás variedades. Se vende comúnmente empacado en agua y se debe escurrir y enjuagar antes de usar.

tomates verdes Los tomates verdes o tomatillos, parecen unos jitomates verdes pequeños y firmes cubiertos con una cáscara apapelada. Su sabor es ligeramente afrutado y ácido con una cualidad ligeramente vegetal. Antes de usarlos retire y deseche la piel apapelada y enjuague los tomates para retirar todo el residuo pegajoso de sus pieles.

vermouth seco Es un vino fortificado con infusión de hierbas y especias. Puede ser dulce (rojo) o seco (blanco). El vermouth blanco seco es un ingrediente del clásico martini y a menudo se usa en la cocina.

vinagres Cada tipo de vinagre tiene un sabor y acidez única lo cual los hace particularmente adecuados para ciertos platillo.

balsámico Una especialidad de la región de Italia de Emilia-Romagna, el vinagre balsámico es un vinagre añejo hecho con jugo de la uva Trebbiano sin fermentar, o mosto. Es añejado en barricas de madera de varios tamaños, cada una de diferente madera, el vinagre balsámico se hace más dulce y más suave con el tiempo.

negro chino Este vinagre oscuro se hace al fermentar grano, generalmente, arroz glutinoso, mijo, cebada, trigo, sorgo o alguna combinación de éstos. Tiene sabor a malta y es ligeramente ahumado con un toque dulce.

de arroz Comúnmente usado en la cocina asiática, el vinagre de arroz es de color claro, sabor suave y ligeramente dulce, producido con arroz que ha sido previamente fermentado. Viene en dos presentaciones: simple o endulzado; este último se conoce como arroz sazonado.

de frambuesa De sabor dulce a flor, este vinagre se hace con vinagre de vino blanco sazonado y coloreado al añadirle frambuesas.

de jerez El vinagre de jerez auténtico de España, etiquetado "vinagre de Jerez", tiene un sabor a nuez ligeramente dulce que resulta del añejamiento en barricas de roble.

de vino blanco De sabor ligero y color claro, este vinagre se produce de diferentes vinos blancos, como el Chardonnay o el Sauvignon Blanc.

de vino tinto Definitivamente ácido, el vinagre de vino tinto es el resultado de la fermentación del vino tinto por segunda vez.

vino de arroz chino También conocido como vino Shaoxing, el vino de arroz chino está hecho de arroz glutinoso y se usa tanto para cocinar como para beber. Búsquelo en tiendas especializadas en alimentos asiáticos.

yogurt estilo griego Este tipo de yogurt tiene una textura espesa y cremosa y un rico sabor ácido. Si no se encuentra se puede sustituir poniendo yogurt de leche entera en un colador de malla fina forrado con un trozo de manta de cielo y permitiendo que escurra durante algunas horas.

Índice

A

Aceitunas
    Guisado de Res con Ralladura de Naranja y
    Aceitunas Negras, 134
    retirando la semilla de, 147
Acelgas
    Sopa de Lenteja y Acelga con Jamón Serrano y
    Páprika Ahumada, 101
    temporadas de, 149
Aguacates, 148
Ajo
    Crutones de Ajo Tostado, 144
    Sopa de Alcachofa y Quinoa con Ajo Verde, 23
    Sopa de Calabacita al Ajo con Gremolata de
    Albahaca, 77
    Sopa de Huevo al Limón con Habas Verdes y
    Hojuelas de Ajo Frito, 45
    temporadas de, 149
Alcachofas
    Sopa de Alcachofa y Quinoa con Ajo Verde, 23
    temporadas de, 148
Alioli de Limón, 144
Apio nabo
    Sopa de Castaña y Raíz de Apio con Crutones
    de Salvia y Tocino, 105
    temporadas de, 148
Arúgula
    Pesto de Arúgula, 144
    temporadas de, 148
Arroz
    Bisque de Chalotes Asados y Cangrejo con
    Jerez, 125
    Bisque de Jitomate Amarillo Asado con
    Obleas de Queso Asiago, 64
    Sopa de Huevo al Limón con Habas Verdes y
    Hojuelas de Ajo Frito, 45
    Sopa de Pavo Sazonado y Arroz Jazmín con
    Lemongrass, 94
Asador, preparando el, 145

B

Berenjena
    Sopa de Berenjena Tostada con Comino y
    Yogurt Griego, 73
    temporadas de, 148
Berro
    Dashi con Callo de Hacha, Berro y Tallarines
    Soba, 37
    temporadas de, 149
Betabeles
    Sopa de Betabel Dorado con Crema de Queso
    de Cabra al Eneldo, 97
    temporadas de, 148
Bisque de Chalotes Asados y Cangrejo con
    Jerez, 125
Bisque de Jitomate Amarillo Asado con Obleas
    de Queso Asiago, 64
Bok choy
    Sopa de Bok Choy Miniatura y Tallarines y
    Especias, 126
    temporadas de, 148
Brotes de bambú
    Caldo de Res Concentrado, 142-143
    Sopa Agripicante con Pimienta Negra y Anís
    Estrella, 24
    Sopa de Carne de Res y Hongos con Cebada
    Perla, 134

C

Calabacitas
    Menestra de Verduras de Verano con Pasta
    Orzo y Pesto de Arúgula, 49
    Sopa de Calabacita al Ajo con Gremolata de
    Albahaca, 77
    Sopa de Cordero con Especias Marroquíes y
    Garbanzo, 129
    temporadas de, 149
Calabaza butternut
    Sopa de Calabaza Butternut con Peras Asadas
    y Romero, 141
    temporadas de, 148
Calabaza de invierno
    Menestra de Verduras de Verano con Pasta
    Orzo y Pesto de Arúgula, 49
    Sopa de Calabacita al Ajo con Gremolata de
    Albahaca, 77
    Sopa de Calabaza Butternut con Peras Asadas
    y Romero, 141
    Sopa de Cordero con Especias Marroquíes y
    Garbanzo, 129
    Sopa de Pollo y Coco con Calabazas de Verano
    y Edamame, 50
    temporadas de, 149
Caldo de Res Concentrado, 142-143
Caldo Miso con Camarones, Tofu y Hongos
    Shiitake, 102
Caldos y consomés
    Caldo de Cangrejo, 143-144
    Caldo de Pavo, 143
    Caldo de Pescado, 142
    Caldo de Pollo, 142
    Caldo de Res Concentrado, 142-14
Callo de Hacha, Berro y Tallarines Soba, Dashi
    con, 37
Camarones
    Caldo Miso con Camarones, Tofu y Hongos
    Shiitake, 102
    Gumbo de Camarones Sazonados al Comino y
    Chorizo, 93
    trabajando con, 146-147
Camotes
    Sopa de Col Rizada y Camote Asado con
    Salchichas de Cordero, 113
    temporadas de, 149
Cangrejo
    Bisque de Chalotes Asados y Cangrejo con
    Jerez, 125
    Caldo de Cangrejo, 143-144
Carne de puerco
    Sopa Agripicante con Pimienta Negra y Anís
    Estrella, 24
    Sopa de Col Napa con Puerco, Hongos y
    Germinado de Soya, 121
Carne de res
    Sopa de Col Napa con Puerco, Hongos y
    Germinado de Soya, 126
Castañas
    Sopa de Castaña y Raíz de Apio con Crutones

de Salvia y Tocino, 105
temporadas de, 148
Cebada Perla, Sopa de Carne de Res y Hongos
con 86
Cebollas
picando y partiendo en dados, 145-146
Sopa de Cebolla Caramelizada con Crutones
de Queso Azul, 29
temporadas de, 149
Cerezas
Sopa Fría de Cerezas Ácidas con Estragón, 41
temporadas de, 148
Coco
Mejillones en Caldo de Curry Amarillo con
Albahaca Tai, 82
Mulligatawny de Coliflor, 109
Sopa de Pollo y Coco con Calabazas de Verano
y Edamame, 50
Sopa de Zanahoria y Coco con Almendras al
Curry, 33
Col napa
Sopa de Col Napa con Puerco, Hongos y
Germinado de Soya, 121
temporadas de, 148
Col rizada
Sopa de Col Rizada y Camote Asado con
Salchichas de Cordero, 113
temporadas de, 149
Coliflor
Mulligatawny de Coliflor, 109
temporadas de, 148
Consejos de almacenamiento, 147
Consejos para servir, 147
Crutones
Crutones de Ajo Tostado, 144
Sopa de Cebolla Caramelizada con Crutones
de Queso Azul, 29
Crutones de Ajo Tostado, 144

CH

Chalotes
Bisque de Chalotes Asados y Cangrejo con
Jerez, 125
temporadas de, 149
Chiles

Sopa de Frijol Negro y Elote Dulce con Chile
Poblano, 70
Sopa de Frijol Pinto con Chile Jalapeño
Tostado y Ajo, 114
Sopa de Pollo y Maíz Cacahuazintle con Chile
Ancho, 133
Sopa de Pollo y Tomate Verde con Chile
Chipotle, 89
temporadas de, 149
Chowder de Langosta y Elote Dulce, 60

D

Dashi con Callo de Hacha, Berro y Tallarines
Soba, 37

E

Elote
Chowder de Langosta y Elote Dulce, 60
retirando granos del elote, 146
Sopa de Frijol Negro y Elote Dulce con Chile
Poblano, 70
Sopa de Pollo y Maíz Cacahuazintle con Chile
Ancho, 133
Embutidos
Gumbo de Camarones Sazonados al Comino y
Chorizo, 93
Sopa de Col Rizada y Camote Asado con
Salchichas de Cordero, 113
Espárragos
temporadas de, 148
Vichyssoise de Poro y Espárragos, 17
Espinaca
Straciatella de Huevo y Queso Parmesano con
Espinaca Miniatura, 56
temporadas de, 149
Vichyssoise de Poro y Espárragos, 17

F

Frijoles y semillas
cocinando frijoles crudos, 145
Menestra de Verduras de Verano con Pasta
Orzo y Pesto de Arúgula, 49
Sopa de Cordero con Especias Marroquíes y
Garbanzo, 129
Sopa de Frijol Negro y Elote Dulce con Chile

Poblano, 70
Sopa de Frijol Pinto con Chile Jalapeño
Tostado y Ajo, 114
Sopa de Huevo al Limón con Habas Verdes y
Hojuelas de Ajo Frito, 45
Sopa de Pollo y Coco con Calabazas de Verano
y Edamame, 50
temporadas de, 148
Frutas cítricas. *Vea también* cada variedad
exprimiendo jugo d, 146
preparando ralladura de, 146

G

Gazpacho de Verduras al Carbón, 55
Gumbo de Camarones Sazonados al Comino y
Chorizo, 93

H

Hierbas, 146
Hinojo
Caldo de Pescado, Hinojo y Azafrán con Alioli
de Limón, 18
Gazpacho de Verduras al Carbón, 55
temporadas de, 148
Hongos
Caldo Miso con Camarones, Tofu y Hongos
Shiitake, 102
limpiando, 146
Sopa Agripicante con Pimienta Negra y Anís
Estrella, 24
Sopa de Carne de Res y Hongos con Cebada
Perla, 146
Sopa de Col Napa con Puerco, Hongos y
Germinado de Soya, 121
temporadas de, 149
Huevos
Sopa de Huevo al Limón con Habas Verdes y
Hojuelas de Ajo Frito, 45
Straciatella de Huevo y Queso Parmesano con
Espinaca Miniatura, 56

I

Ingredientes de temporada, 8, 148-149

J

Jamón
Sopa de Frijol Pinto con Chile Jalapeño Tostado y Ajo, 114
Sopa de Lenteja y Acelga con Jamón Serrano y Páprika Ahumada, 101

Jitomates
Bisque de Chalotes Asados y Cangrejo con Jerez, 125
Bisque de Jitomate Amarillo Asado con Obleas de Queso Asiago, 64
Caldo de Pescado, Hinojo y Azafrán con Alioli de Limón, 18
Chowder de Langosta y Elote Dulce, 60
Gazpacho de Verduras al Carbón, 55
Guisado de Res con Ralladura de Naranja y Aceitunas Negras, 134
Mejillones en Caldo de Curry Amarillo con Albahaca Tai, 82
Menestra de Verduras de Verano con Pasta Orzo y Pesto de Arúgula, 49
Sopa de Berenjena Tostada con Comino y Yogurt Griego, 73
Sopa de Carne de Res y Hongos con Cebada Perla, 86
Sopa de Cordero con Especias Marroquíes y Garbanzo, 129
Sopa de Frijol Pinto con Chile Jalapeño Tostado y Ajo, 114
Sopa de Jitomate y Pan con Aceite de Ajo Tostado, 63
Sopa de Lenteja y Acelga con Jamón Serrano y Páprika Ahumada, 101
Sopa de Pollo y Maíz Cacahuazintle con Chile Ancho, 133
Sopa de Pollo y Tomate Verde con Chile Chipotle, 89
temporadas de, 149

L

Langosta
cocinando, viva, 145
Chowder de Langosta y Elote Dulce, 60

Limones
Alioli de Limón, 144
exprimiendo jugo de, 146
preparando ralladura de, 146
temporadas de, 149

M

Manzanas
Mulligatawny de Coliflor, 109
temporadas de, 148
Matzoh, Caldo de Pollo con Zanahoria y Bolas, a las Hierbas, 38
Menestra de Verduras de Verano con Pasta Orzo y Pesto de Arúgula, 49
Mejillones en Caldo de Curry Amarillo con Albahaca Tai, 82
Mulligatawny de Coliflor, 109

N

Naranjas
exprimiendo el jugo de, 146
Guisado de Res con Ralladura de Naranja y Aceitunas Negras, 134
preparando ralladura de, 146
temporadas de, 149

Nueces
Pesto de Arúgula, 144
Nueces, tostando, 145

O

Obleas de Asiago, 144-145

P

Pan
Crutones de Ajo Tostados, 144
Sopa de Castaña y Raíz de Apio con Crutones de Salvia y Tocino, 105
Sopa de Cebolla Caramelizada con Crutones de Queso Azul, 29
Sopa de Jitomate y Pan con Aceite de Ajo Tostado, 63

Papas
Chowder de Langosta y Elote Dulce, 60
Sopa de Poro y Papa Yukon Dorada con Prosciutto Frito, 30

Sopa de Lenteja con Pavo Ahumado y Miel de Balsámico, 137
temporadas de, 149
Vichyssoise de Poro y Espárragos, 17

Pasta y Tallarines
Dashi con Callo de Hacha, Berro y Tallarines Soba, 37
Menestra de Verduras de Verano con Pasta Orzo y Pesto de Arúgula, 49
Sopa de Bok Choy Miniatura y Tallarines y Especias, 126

Pavo
Caldo de Pavo, 143
Sopa de Lenteja con Pavo Ahumado y Miel de Balsámico, 137
Sopa de Pavo Sazonado y Arroz Jazmín con Lemongrass, 94

Pepinos
Gazpacho de Verduras al Carbón, 55
retirando las semillas de, 146
Sopa Fría de Pepino y Yogurt con Limón y Menta, 69
temporadas de, 148

Peras
Sopa de Calabaza Butternut con Peras Asadas y Romero, 141
temporadas de, 149

Pescado
Caldo de Pescado, 142
Caldo de Pescado, Hinojo y Azafrán con Alioli de Limón, 18

Pesto de Arúgula, 144

Pimientos
Gazpacho de Verduras al Carbón, 55
temporadas de, 149

Pollo
Caldo de Pollo con Zanahoria y Bolas Matzoh a las Hierbas, 38
Caldo de Pollo, 142
Sopa de Pollo y Coco con Calabazas de Verano y Edamame, 50
Sopa de Pollo y Maíz Cacahuazintle con Chile Ancho, 133
Sopa de Pollo y Tomate Verde con Chile Chipotle, 89

Poros
   Menestra de Verduras de Verano con Pasta
   Orzo y Pesto de Arúgula, 49
   Sopa de Calabacita al Ajo con Gremolata de
   Albahaca, 77
   Sopa de Poro y Papa Yukon Dorada con
   Prosciutto Frito, 30
   temporadas de, 149
   Vichyssoise de Poro y Espárragos, 17
Prosciutto Frito, Sopa de Poro y Papa Yukon
   Dorada con, 30
Puré, haciendo, 147

Q

Queso
   Obleas de Queso Asiago, 144-145
   Sopa de Betabel Dorado con Crema de Queso
   de Cabra al Eneldo, 97
   Sopa de Cebolla Caramelizada con Crutones
   de Queso Azul, 29
   Sopa de Queso Cheddar y Sidra con Chalotes
   Fritos, 118
   Straciatella de Huevo y Queso Parmesano con
   Espinaca Miniatura, 56
Quinoa
   cocinando, 145
   Sopa de Alcachofa y Quinoa con Ajo Verde, 23

S

Sazonando, 147
Semillas, tostando, 145
Sidra de manzana
   Sopa de Queso Cheddar y Sidra con Chalotes
   Fritos, 118
Sopa Agripicante con Pimienta Negra y Anís
   Estrella, 24
Sopa de Berenjena Tostada con Comino y Yogurt
   Griego, 73
Sopa de Betabel Dorado con Crema de Queso de
   Cabra al Eneldo, 97
Sopa de Bok Choy Miniatura y Tallarines y
   Especias, 126
Sopa de Calabaza con Pepitas Dulces y
   Sazonadas, 81

Sopa de Castaña y Raíz de Apio con Crutones de
   Salvia y Tocino, 105
Sopa de Cebolla Caramelizada con Crutones de
   Queso Azul, 29
Sopa de Col Napa con Puerco, Hongos y
   Germinado de Soya, 121
Sopa de Cordero con Especias Marroquíes y
   Garbanzo, 129
Sopa de Cordero con Especias Marroquíes y
   Garbanzo, 129
Sopa de Cordero con Especias Marroquíes y
   Garbanzo, 129
Sopa de Frijol Negro y Elote Dulce con Chile
   Poblano, 70
Sopa de Frijol Pinto con Chile Jalapeño Tostado y
   Ajo, 114
Sopa de Lenteja con Pavo Ahumado y Miel de
   Balsámico, 137
Sopa de Lenteja con Pavo Ahumado y Miel de
   Balsámico, 137
Sopa de Lenteja y Acelga con Jamón Serrano y
   Páprika Ahumada, 101
Sopa de Pavo Sazonado y Arroz Jazmín con
   Lemongrass, 94
Sopa de Pollo y Maíz Cacahuazintle con Chile
   Ancho, 133
Sopa de Queso Cheddar y Sidra con Chalotes
   Fritos, 118
Sopa de Zanahoria y Coco con Almendras al
   Curry, 33
Sopa Fría de Cerezas Ácidas con Estragón, 41
Sopa Fría de Pepino y Yogurt con Limón y Menta
   , 69
Straciatella de Huevo y Queso Parmesano con
   Espinaca Miniatura, 56

T

Tallarines. *Vea* Pasta y tallarines
Tofu
   Caldo Miso con Camarones, Tofu y Hongos
   Shiitake, 102
   Sopa Agripicante con Pimienta Negra y Anís
   Estrella, 24
Tomates verdes

Sopa de Pollo y Tomate Verde con Chile
   Chipotle, 89
Temporadas de, 149
Tortillas
   Sopa de Pollo y Tomate Verde con Chile
   Chipotle, 89

V

Verduras. *Vea también* cada variedad de
   verduras
   Gazpacho de Verduras al Carbón, 55
   Menestra de Verduras de Verano con Pasta
   Orzo y Pesto de Arúgula, 49
   Vichyssoise de Poro y Espárragos, 17
Verduras al Carbón, Gazpacho de, 55

Y

Yogurt
   Sopa de Berenjena Tostada con Comino y
   Yogurt Griego, 73
   Sopa Fría de Pepino y Yogurt con Limón y
   Menta, 69

Z

Zanahorias
   Caldo de Pollo con Zanahoria y Bolas Matzoh
   a las Hierbas, 38
   Guisado de Res con Ralladura de Naranja y
   Aceitunas Negras, 134
   Menestra de Verduras de Verano con Pasta
   Orzo y Pesto de Arúgula, 49
   Sopa de Zanahoria y Coco con Almendras al
   Curry, 33
   temporadas de, 148

Importado, editado y publicado
por primera vez en México en 2009 por/
Imported, edited and published in Mexico in 2009 by:
Advanced Marketing S. de R.L. de C.V.
Calzada San Francisco Cuautlalpan No.102 Bodega "D" Col. San
Francisco Cuautlalpan, Naucalpan Edo. de México C.P. 53569

Título original/ Original Title: New Flavors for Soups/
Nuevos sabores para Sopas

Primera impresión en 2009
Fabricado e impreso en Singapur el 29 de abril de 2009 por/
Manufactured and printed in Singapore on April 29th,2009 by:
Tien Wah Press, 4 Pandan Crescent , Singapore 128475
10 9 8 7 6 5 4 3 2 1
ISBN: 978-607-404-060-9

WILLIAMS-SONOMA, INC.
Fundador y Vice-presidente Chuck Williams

SERIE NUEVOS SABORES DE WILLIAMS-SONOMA
Ideado y producido por Weldon Owen Inc.
415 Jackson Street, Suite 200, San Francisco, CA 94111
Teléfono: 415 291 0100 Fax: 415 291 8841
En colaboración con Williams-Sonoma, Inc.
3250 Van Ness Avenue, San Francisco, CA 94109

UNA PRODUCCIÓN DE WELDON OWEN
Copyright © 2009 por Weldon Owen Inc. y Williams–Sonoma, Inc.
Todos los derechos reservados, incluyendo el derecho
de reproducción total o parcial en cualquier forma.

WELDON OWEN INC.
Presidente Ejecutivo, Grupo Weldon Owen John Owen
CEO y Presidente, Weldon Owen Inc. Terry Newell
VP Senior, Ventas Internacionales Stuart Laurence
VP, Ventas y Desarrollo de Nuevos Proyectos Amy Kaneko
Director de Finanzas Mark Perrigo

VP y Editor Hannah Rahill
Editor Ejecutivo Jennifer Newens
Editor Senior Dawn Yanagihara

VP y Director de Creatividad Gaye Allen
Director de Arte Kara Church
Diseñador Senior Ashley Martinez
Diseñador Stephanie Tang
Director de Fotografía Meghan Hildebrand

Director de Producción Chris Hemesath
Administrador de Producción Michelle Duggan
Director de Color Teri Bell

Fotografía Kate Sears
Estilista de Alimentos Shelly Kaldunski
Estilista de Props Danielle Fisher
Traducción Laura Cordera L. y Concepción O. de Jourdain

Fotografías adicionales Tucker + Hossler: páginas 24, 33, 45, 55, 60, 69, 73,
81, 86, 89, 94, 101, 102, 113, 118, 126, 129 y 141; Getty Images: Tom
Hopkins páginas 14 y15; Louis-Laurent Grandadam páginas 46 y 47; Justin
Lightley página 116; Corbis: Ed Young página 53; Veer: Somos Photography
página 59; Westend61 Photography páginas 78 y 79; Fotosearch:
Photographers Choice página 75; Creatas Photos página 107; Westend61
Photography páginas 110 y111.

RECONOCIMIENTOS
Weldon Owen agradece a las siguientes personas por su generosa ayuda:
Asistentes de Fotografía Victoria Wall and Tony George; Asistentes de Estilista
de Alimentos Lillian Kang and Ara Armstrong; Editor de copias Carrie Bradley;
Correctora de Estilo Lesli Neilson; Índice Ken DellaPenta.

UNA NOTA SOBRE PESOS Y MEDIDAS
Todas las recetas incluyen medidas acostumbradas en Estados Unidos y medidas del sistema métrico. Las conversiones
métricas se basan en normas desarrolladas para estos libros y han sido aproximadas. El peso real puede variar.